No sufras por la pubertad

No sufras por la pubertad

Respuestas a <u>TODAS</u> las preguntas sobre tu cuerpo que no te atreves a plantear

MARGUERITE CRUMP

Edición a cargo de Elizabeth Verdick

Ilustraciones de Chris Sharp

ONIRO

Título original: *Don't Sweat It! Every Body's Answers to Questions
You Don't Want to Ask: A Guide for Young People*
Publicado en inglés en 2002 por Free Spirit Publishing Inc.,
Minneapolis, Minnesota, USA, http://www.freespirit.com

Traducción de Elena Barrutia

Ilustración de cubierta e interiores: Chris Sharp

Distribución exclusiva:
Ediciones Paidós Ibérica, S.A.
Mariano Cubí 92 - 08021 Barcelona - España
Editorial Paidós, S.A.I.C.F.
Defensa 599 - 1065 Buenos Aires - Argentina
Editorial Paidós Mexicana, S.A.
Rubén Darío 118, col. Moderna - 03510 México D.F. - México

© 2004 exclusivo de todas las ediciones en lengua española:
Ediciones Oniro, S.A.
Muntaner 261, 3.º 2.ª - 08021 Barcelona - España
(oniro@edicionesoniro.com - www.edicionesoniro.com)

ISBN: 84-9754-140-5
Depósito legal: B-33.221-2004

Impreso en Hurope, S.L.
Lima, 3 bis - 08030 Barcelona

Impreso en España - *Printed in Spain*

DEDICATORIA

A mis maravillosos padres, que me dieron la libertad y el ánimo para encontrar mi propia senda, por mucho que se alejara del camino trillado.

AGRADECIMIENTOS

Este libro ha sido posible gracias a la ayuda de muchos profesores, padres y alumnos que me proporcionaron una gran cantidad de información y comentarios muy divertidos e interesantes. Gracias a mi marido y a mis amigos por su apoyo, y a Free Spirit Publishing por hacer posible este libro.

ÍNDICE

Introducción

Es probable que últimamente hayas notado algunos cambios en tu cuerpo. Si es así tendrás entre nueve y trece años, quizá algo más. Durante esta época el juego se llama cambio. Estás empezando a parecer, actuar y sobre todo a sentirte diferente. Aunque todavía no hayas notado muchos cambios en ti, seguro que los has visto en algunos de tus amigos.

Todos estos cambios se deben a la *pubertad*, el periodo en el que tu cuerpo comienza a pasar de la infancia a la edad adulta. Pero este libro no trata de la pubertad, sino de cómo hacer que resulte más llevadera.

Como ya sabes, muchos de los cambios físicos que estás notando ahora no son un tema habitual de conversación: axilas sudorosas, pies malolientes o mal aliento, por nombrar sólo algunos. También experimentarás cambios en los órganos genitales sobre los que te gustaría saber algo más si no tuvieras miedo a hacer preguntas. Después de todo, no es normal oír hablar a la gente abiertamente de vello púbico, olor corporal, hábitos higiénicos, sudor, pelo grasiento, piojos o uñas encarnadas. Esas cosas son muy embarazosas. Pertenecen al ámbito privado. Pero son parte de la vida.

Este libro trata de esos cambios innombrables y de cuestiones de salud personal de las que tan difícil resulta hablar cara a cara. En la privacidad de este libro aprenderás todo lo que debes saber sobre la higiene: por qué es importante y cómo mantenerse limpio todos los días.

Jamás me propuse aprender tanto sobre el cuerpo humano y su funcionamiento. Pero en mi trabajo como educadora sanitaria me pidieron que asesorara a un grupo de profesores sobre uno de los temas que les interesaba presentar a sus alumnos. Los profesores y los alumnos querían más información sobre higiene corporal, algo de lo que la gente apenas habla aunque se ocupe de ella a diario. Cuanto más aprendí más pude compartir con ellos en los talleres y las charlas.

Entonces me di cuenta de que esos temas supuestamente delicados pueden ser muy divertidos. Los alumnos se reían cuando hablaba de la caspa, el vello de las axilas, el cuidado de las uñas de los pies y la comida que se queda entre los dientes. Cuando estos temas se trataban en grupos ya no resultaban tan incómodos o embarazosos.

Por eso decidí escribir este libro, para ayudar a los niños como tú a comprender que los cambios corporales son algo normal para todo el mundo, al igual que los sentimientos que los acompañan. Cualquier día, en cualquier momento, puedes sentirte eufórico, deprimido o en un punto medio. Estar preocupado, emocionado, incómodo o «raro» forma parte de la pubertad y el desarrollo.

¿Qué puedes hacer al respecto? Conocerte a ti mismo y cuidarte. Si quieres puedes sentirte bien. Y este libro te explica cómo puedes conseguirlo.

SOBRE ESTE LIBRO

Con la información que se incluye en estas páginas aprenderás a cuidarte de un modo excelente de los pies a la cabeza. Esto es lo que encontrarás:

1. PELO: ¿Bendición gloriosa o lucha constante?

Descubrirás por qué el pelo parece tener vida propia y cómo puedes cuidar mejor el tuyo.

2. CARA: Hechos faciales

Sabrás por qué la piel –el órgano de tu cuerpo más extenso– necesita una atención especial, sobre todo en el rostro.

3. BOCA: un parque de atracciones para los gérmenes

Averiguarás por qué a los gérmenes les encanta tu boca y qué puedes hacer para que esté más limpia y sana.

4. MANOS: una gran ayuda

Comprenderás por qué tus manos pueden ser tu primera defensa contra los gérmenes y las enfermedades si te las lavas de vez en cuando.

5. OLOR CORPORAL: Cuestiones básicas

Descubrirás las causas del sudor y el olor corporal y aprenderás a mantenerlos a raya.

6. ESAS PARTES DE ABAJO

Conocerás mejor tus partes íntimas (genitales) y entenderás por qué lo que está ocurriendo ahí abajo es tan importante.

7. PIES SANOS

Aprenderás a mantener tus pies tan frescos y limpios como sea posible, aunque hagas deporte.

A lo largo de este libro encontrarás muchas leyendas y datos fascinantes sobre el cuerpo humano que quizá te sorprendan. Y te darás cuenta de que tu cuerpo es una máquina extraordinaria. Si cuidas bien de él ahora –y siempre– podrás mantenerlo en plena forma.

Si quieres escribirme estaré encantada de recibir tus noticias. Puedes contactar conmigo en:

Marguerite Crump
c/o Free Spirit Publishing
217 Fifth Avenue North, Suite 200
Minneapolis, MN 55401-1299
E-mail: help4kids@freespirit.com

Capítulo 1

PELO: ¿Bendición gloriosa o Lucha constante?

¿Te has tropezado alguna vez inesperadamente con un chico o una chica que te gustase mientras estabas haciendo unas compras rápidas? De repente, te encuentras en medio de un supermercado intentando decir algo ingenioso cuando lo único que puedes pensar es: «¿Cómo tendré el pelo?». Lo primero que haces al volver al coche es bajar el espejo y mirarte. ¡Dios mío! Tienes un aspecto ridículo, y te sientes fatal. Antes de jurar que nunca saldrás de casa sin pasar antes una hora delante del espejo, recuerda que todo el mundo se siente ansioso por el pelo en algún momento.

El pelo puede crear un gran estrés. Es lo primero que ves cuando te miras al espejo, y no puedes negar que también te fijas en el de los demás. ¿Significa eso que eres superficial? Por supuesto que no. Lo que pasa es que el pelo es un rasgo muy evidente. Es inevitable que te fijes en él.

PREOCUPACIÓN POR EL PELO

¿Te acuerdas de aquellos días felices en los que saltabas de la cama, te ponías la ropa y salías a jugar sin pensar en el pelo? Puede que te pasaras un peine por él si tus padres insistían, pero el pelo no era una de tus máximas prioridades. Y tus padres te llevaban a la peluquería para que te lo cortaran o te lo cortaban ellos mismos. Esos días pasaron a la historia. Si eres como la mayoría de la gente de tu edad, ahora tienes Buenos Días Capilares o Malos Días Capilares. No te gustan tus rizos, maldices tu melena lisa, te arrepientes de ese nuevo corte o pasas infinidad de horas probando nuevos peinados y productos para el pelo.

El pelo siempre ha tenido mucha importancia a lo largo de la historia. Desde el principio de los tiempos ha habido pruebas de que los seres humanos prestaban atención a su pelo. Incluso los hombres de la cavernas se ponían plumas y huesos para adornarse el pelo y reflejar su estatus social.

Estudiando objetos como peines, horquillas, cuadros y libros de poesía, los arqueólogos han comprobado que los antiguos egipcios fueron de los primeros en dar importancia a la belleza de su pelo. Aunque les gustaba el pelo largo recogido en lujosos peinados, el clima caluroso y polvoriento de su país hacía que el pelo largo les diera calor y fuera un caldo de cultivo ideal para los insectos. Por eso la gente solía llevar el pelo muy corto o la cabeza afeitada y se ponía extensiones o pelucas teñidas.

De hecho, las pelucas han sido durante mucho tiempo una manifestación de una condición determinada, desde las pelucas grises de los abogados británicos a las negras pelucas lacadas de las *geishas* japonesas. Hoy en día la gente sigue llevando pelucas o se pone extensiones para que el pelo parezca más largo o voluminoso.

Puede que ahora prestes más atención al pelo, pero ¿sabes algo de él? Tu cuero cabelludo es como una fábrica que trabaja día y noche para que crezca ese pelo que te encanta o que odias. Tu pelo está compuesto de *queratina*, una fina sustancia incolora que también forma las uñas. El pelo tiene básicamente tres capas: la *cutícula* (la delgada capa exterior incolora que protege el pelo), la *corteza* (la parte media que da fuerza al pelo y determina su color y textura) y la *médula* (la suave parte central del pelo).

La raíz del pelo se asienta bajo la superficie de la piel en *folículos*, que son como pequeños pozos; los vasos sanguíneos que llegan hasta esos folículos ayudan al pelo a crecer. Todo eso que te lavas y te peinas está en realidad muerto. Aunque los anuncios te hagan creer que debes nutrir el pelo «sediento», tu pelo no es como un atleta sudoroso que espera que le den agua. Los únicos tejidos vivos del pelo se encuentran en la raíz. Las zonas que cuidas a diario son miles de filamentos capilares.

Todos esos pelos de tu cabeza tienen una pauta de desarrollo diferente, y crecen o se caen según en qué fase se encuentren. Comienzan con una intensa fase de crecimiento antes de tomarse un pequeño descanso, y luego los viejos se caen a la vez que salen otros nuevos. Que esos pelos tengan una pauta de desarrollo diferente es una ventaja; si todos ellos estuvieran en la fase de descanso al mismo tiempo la bañera se llenaría de pelos y no tendrías nada que peinar al mirarte en el espejo.

Aunque resulta difícil contar todos los pelos de una cabeza

humana, según los científicos tenemos entre 60.000 y 150.000. Si coges un paño húmedo y lo pasas por el suelo del cuarto de baño te quedarás asombrado al ver cuánto pelo hay ahí. A no ser que la limpieza del baño sea una de tus tareas habituales, en cuyo caso sabrás cuántos pelos se caen al suelo.

¿Te has encontrado alguna vez con una enorme bola de pelo al desatascar el desagüe de la bañera? ¡Es repugnante! (Resulta curioso que el pelo nos parezca atractivo cuando está bien puesto en la cabeza de alguien y nos dé tanto asco al verlo en otro sitio.) Pero esto no significa que todos los miembros de tu familia se estén quedando calvos. Cada uno perderá entre 50 y 150 pelos al día aproximadamente, lo cual es normal.

Cuando eres un niño tu pelo tiene más volumen que en cualquier otro momento de tu vida. También tiene un aspecto

más sano y brillante porque las glándulas sebáceas funcionan a buen ritmo. Y tiene un color más vivo porque aún no ha comenzado a oscurecerse, cosa que suele ocurrir a partir de la adolescencia.

Durante la adolescencia el pelo está más graso porque las glándulas sebáceas empiezan a funcionar con mayor intensidad y segregan sebo en los folículos. El sebo humedece el cuero cabelludo y hace que el pelo tenga más brillo, pero también puede convertir tu pelo en una mancha de grasa. Esas diminutas glándulas sebáceas pueden causar estragos durante la pubertad.

¿Quieres comprobar si tienes el pelo sano? Coge un pelo cuando esté mojado y dale un pequeño tirón. Debería estirarse un poco antes de romperse. El pelo sano se puede estirar hasta un 25 por ciento de su longitud sin romperse. Lo creas o no, un

Datos

El pelo crece a distinto ritmo dependiendo de muchos factores. Crece más rápido con calor que con frío, por la mañana que por la tarde, y por la noche es cuando menos crece.

El pelo humano se utiliza como aditivo en algunos alimentos. Hay un aminoácido llamado L-cisteína que se puede fabricar con pelo humano y se añade al pan, la masa de las pizzas y algunos tentempiés. La mayor parte del pelo proviene de China, y se procesa en plantas químicas para convertirlo en polvo. Pero no es muy probable que veas este aditivo en la lista de ingredientes de ningún producto, porque se suele denominar «saborizante natural».

Datos

El color de tu pelo influye en el número de pelos que tienes en la cabeza. Si eres pelirrojo tendrás unos 80.000 pelos. Los morenos tienen alrededor de 100.000 pelos, y los rubios unos 120.000. ¿Cómo puede ser esto? Los rubios tienen más pelos en la cabeza porque su pelo suele ser más fino que el de las variedades más oscuras. Nadie sabe por qué.

El pelo gris no existe. Cuando la melanina deja de producir color, el pelo se vuelve blanco. Si miras con atención la cabeza de tus abuelos, verás que lo que creías que eran pelos grises son en realidad pelos blancos mezclados con pelo que aún tiene color.

pelo sano es más fuerte que un alambre de acero del mismo tamaño. Si tu pelo no tiene elasticidad (se rompe fácilmente al estirarlo), puede estar dañado por el cloro, el sol, una permanente o el calor de un secador o unas tenacillas.

El color de tu pelo

Si echas un vistazo por tu clase o a los miembros de tu familia cuando estéis alrededor de la mesa verás una gran variedad de colores de pelo. Normalmente se dice que el pelo puede ser negro, rubio, pelirrojo o castaño, pero algunos pelos son difíciles de describir. ¿Rubio rojizo? ¿Pelirrojo arrubiado? ¿Castaño negruzco? ¿Rubio sucio? ¿Negro azabache? Sea cual sea el color de tu pelo, es único como tú.

El color está determinado por la *melanina*, que está presente en las células pigmentarias o colorantes. (La melanina también hace que tu piel sea más o menos oscura o tenga pecas.) Cuanta más melanina tengas en el pelo más oscuro será. Cuando envejezcas algún día y tus células pigmentarias dejen de funcionar, tu pelo se volverá blanco.

¿Liso o rizado?

La forma de tus folículos capilares, esos pequeños pozos del cuero cabelludo que sujetan las raíces, determinan tu tipo de pelo. Así pues, si tus folículos tienen una forma circular tendrás el pelo liso. Cuando los folículos son ovalados el pelo es  rizado. Los folículos planos y curvados hacen que el pelo sea muy rizado. En el pelo también hay vínculos químicos que crean una textura rizada o lisa. Si te haces una permanente o te alisas el pelo romperás esos vínculos químicos.

¿Has deseado alguna vez al mirarte en el espejo que tu pelo liso fuera rizado o viceversa? Es normal querer lo contrario de lo que uno tiene. Vamos a suponer que quieres alisar tu pelo y que su tendencia natural hace que se abulte y se rice. O que te gustaría tener el pelo ondulado y voluminoso, pero siempre queda tan liso como una hoja de papel. Tu tipo de pelo estaba determinado mucho antes de que nacieras. Si te dieran cinco céntimos por cada persona que a lo largo del tiempo ha intentado que su pelo fuera de otra manera, serías multimillonario.

Tengas el pelo claro u oscuro, liso o rizado, es tuyo. Y deberías cuidarlo bien. Cuanto más te cuides el pelo mejor aspecto tendrá, sea como sea. Además, hay productos capilares para casi todas las necesidades.

> **Datos**
>
> Analizando un pelo hallado en el escenario de un crimen, los científicos forenses —investigadores que ayudan a resolver crímenes— pueden determinar el sexo, la edad y la raza de su propietario.

CUIDADOS BÁSICOS

Piensa en lo que haces con el pelo por las mañanas. ¿Te lo lavas, te pasas los dedos por él y sales por la puerta? ¿O dedicas una hora a lavarlo, acondicionarlo, secarlo y peinarlo? (Sólo de pensarlo resulta agotador.)

Si pasas mucho tiempo arreglándote el pelo por la mañana y mirándote en el espejo a lo largo del día, quizá necesites algunos consejos para simplificar esa rutina. Por otra parte, si para ti cuidar el pelo es humedecer la mano y pasarla por el flequillo, no te vendrían mal unos cuantos consejos para mantenerlo limpio. En cualquier caso, estás en el lugar adecuado.

> «No me gusta nada mi pelo. Mi madre tiene el pelo rizado, y mi padre liso, así que yo lo tengo liso con un rizo que sobresale. Tengo un aspecto ridículo.»
> —Sarah, 12

Lavado y acondicionamiento

Sólo tienes que mirar en la sección de droguería de cualquier supermercado para ver que puedes comprar un montón de productos para el pelo. Pero ¿necesitas realmente tantos? ¿No podrías coger una pastilla de jabón y usarla también para el pelo? No pasa nada porque hagas esto si ya estás en la ducha y no hay un champú a mano, pero el jabón no es bueno para el pelo. Lo seca y lo deja sin brillo. Los champús tienen detergentes especiales diseñados para formar una espuma que deja el pelo limpio, sano y brillante.

Hay tantos champús en el mercado que resulta difícil escoger. ¿Y quién entiende todas esas palabras raras que aparecen en la lista de ingredientes de un champú? La apuesta más segura es averiguar si tienes el pelo seco, graso o normal. Luego puedes elegir un champú normal o con acondicionador, el que mejor te vaya. Los champús normales para cualquier tipo de cabello eliminan la grasa y la suciedad del pelo. Los champús con acondicionador limpian y acondicionan el pelo, dejándolo más suave, voluminoso y fácil de peinar. Si usas un champú con acondicionador no tendrás que aplicarte un acondicionador adicional después de lavarte el pelo. Para complicar las cosas, también hay champús hidratantes, que «retienen» la humedad.

Los acondicionadores contienen ingredientes para proteger el pelo y suavizarlo. Además, pueden dar más volumen y evitar que el pelo se cargue de electricidad estática. También puedes usar acondicionadores «intensivos», que se mantienen en el pelo durante un tiempo para sellar aún más la humedad.

Si tienes el pelo graso lávatelo a diario con un champú diseñado para reducir la grasa y la suciedad. Puedes usar un acondicionador suave tan a menudo como sea necesario (cada dos días más o menos). Si tienes el pelo normal elige un champú normal o con acondicionador diseñado para tu tipo de pelo y, si quieres, añade un acondicionador suave. Si haces ejercicio de forma regular tu pelo sudará y se ensuciará más, y quizá necesites lavártelo con más frecuencia.

Para un pelo seco, muy rizado o áspero prueba un champú con acondicionador o hidratante. También puedes usar champús con «Ph neutro», que no eliminan la grasa (es necesaria para lubricar el pelo seco). Para mantener la grasa natural lávate el pelo sólo unas cuantas veces por semana. Después utiliza siempre un acondicionador, y aplícate un acondicionador intensivo cada cierto tiempo.

Los afroamericanos tienen un pelo que necesita menos lavados, sobre todo si se lo han alisado con planchas o tenacillas (estos procesos debilitan el pelo). Busca champús y acondicionadores especiales para tu tipo de pelo. Si haces ejercicio a menudo y quieres eliminar el sudor de tu pelo, acláratelo en vez de darte champú con demasiada frecuencia para que no desaparezca toda la grasa.

Tengas el pelo que tengas, seguro que has oído eso de «Enjabonar, aclarar y repetir». Si no es así, mira las instrucciones de cualquier bote de champú. A algunos fabricantes de champú se les ocurrió que era una forma estupenda de vender más champú (porque cuanto más usas más compras). Por supuesto que hay que enjabonar y aclarar, pero no es necesario repetir. Si tienes el pelo seco, al darte champú dos veces eliminarás demasiadas grasas. Y aunque tengas el pelo graso no es necesario que te lo enjabones dos veces. Ahorra tiempo y dinero ignorando esa vieja regla.

Si no te sobra el dinero, es muy probable que utilices el champú y el acondicionador que use el resto de la familia, y tampoco está mal, porque la mayoría de los champús van bien para casi todo tipo de cabello. Aunque los anuncios de la televisión digan que son productos basados en estudios científicos y que debes buscar la fórmula más adecuada para ti, recuerda que lo más importante es mantener el pelo limpio.

Lo más caro no siempre es lo mejor. Hay muchos champús económicos tan eficaces como los de los salones de belleza de lujo. Que algunos usen productos caros no significa que tengan el pelo más limpio o suave que el tuyo. Si compras estas cosas con tu dinero, puedes ahorrar eligiendo un champú con acondicionador en lugar de dos productos distintos.

Cepillado y moldeado

¿Eres uno de esos que va a la escuela con el peinado que la madre naturaleza te ha concedido por la noche? Si es así deberías preguntarte esto: ¿Cuándo fue la última vez que pensaste que tenías el pelo estupendo después de dormirte en el autobús y de pasar toda la noche con el pelo enmarañado en la almohada?

Ya es hora de que saques el peine o el cepillo y lo uses a diario. (Es cierto que se llevan los estilos despeinados, pero para conseguir ese efecto también hay que hacer algo.) Deberías esforzarte un poco en tu rutina cotidiana. ¿Por qué no empiezas hoy?

También es posible que estés en el otro extremo. Si tus dos mejores amigos son el cepillo y el secador, intenta no pasar demasiado tiempo con esas herramientas, porque tu pelo no necesita tanto desgaste. Para conseguir un buen resultado, sécate un poco el pelo con una toalla, péinalo con un peine de púas anchas y luego moldéalo con un cepillo y un secador si es necesario. (Usa cepillos suaves y flexibles. Los mejores para el pelo son los de cerdas naturales; los sintéticos suaves de puntas redondeadas también son una buena opción.) Pon el secador a media potencia en vez de llegar a un nivel infernal. Al secarte el pelo déjalo un poco húmedo para que más tarde no se quede sin humedad. No dejes de mover el secador y no lo mantengas en una zona durante mucho tiempo.

Recuerda que también es importante mantener el cepillo limpio. ¿Has mirado alguna vez uno de cerca? Si lo haces verás una densa maraña de pelo. Es cierto que es tu pelo, pero deberías limpiarlo de vez en cuando. Coge un destornillador o un lapicero y pásalo por debajo del pelo para sacarlo del cepillo. Luego limpia el cepillo con agua caliente y un poco de champú para eliminar la grasa y la suciedad. Después aclara el cepillo con agua y déjalo boca abajo sobre una toalla para que se seque. Los peines también necesitan una buena limpieza cada cierto tiempo.

A tu edad es muy probable que te guste cambiar de peinado, y que tengas el pelo lo bastante fuerte para soportar todo tipo de experimentos. Ésta es la parte más divertida, porque te permite ser creativo con tu pelo. He aquí una lista de algunos de los productos que puedes usar para que tu pelo obedezca a tus caprichos:

★ **BÁLSAMOS:** doman el pelo rizado y le dan brillo. Se aplican en el pelo húmedo antes de moldearlo.

★ **GELES:** dan forma y brillo a todo tipo de pelo. Se pueden aplicar sobre el pelo húmedo para que tenga un aspecto mojado o para moldearlo al secarlo.

★ **LACAS:** fijan el peinado. Las lacas en aerosol se secan antes y cubren una zona extensa rápidamente. Las líquidas son más húmedas. Busca el grado de fijación que necesite tu pelo.

★ **CREMA MOLDEADORA:** mantiene los rizos o las ondas y puede dar al pelo un aspecto húmedo.

★ **ESPUMA:** añade volumen al pelo fino.

★ **LOCIONES:** suavizan el pelo rizado.

★ **VOLUMIZADORES:** hacen que el pelo fino tenga un aspecto más voluminoso. Se aplican en el pelo húmedo antes de moldearlo.

Para ahorrar dinero, compra estos productos en supermercados. Guarda el recibo para poder cambiar cualquier producto si no te va bien.

NO INTENTES HACER ESTO EN CASA

Si te has preguntado alguna vez cuánta gente está dispuesta a hacer cualquier cosa por seguir la moda, sólo tienes que mirar un cuadro de una mujer medieval. ¿Has visto alguna vez una de esas damas con la frente altísima? Se depilaban el pelo varios centímetros para que su frente pareciera más alta. ¡Qué daño!

En el siglo XVIII, las mujeres europeas de clase alta llevaban el pelo sobre una estructura de alambre y se lo almidonaban para que tuviera casi un metro de altura. Esos peinados se decoraban con plumas, lazos y joyas y, en algunas ocasiones, con pájaros disecados. Tardaban horas en componer esos peinados, que solían durar varias semanas. A veces los insectos se instalaban en estas «colmenas».

Cortes y permanentes

Cambiar de peinado es divertido, pero lo mejor que puedes hacer es comenzar con un buen corte en una peluquería o una barbería. Aunque creas que puedes cortarte el pelo tú mismo (o tus padres se ofrezcan a hacerlo), es mejor dejar esa tarea a los expertos. Los cortes de pelo caseros suelen quedar mal, sobre todo cuando la gente usa tijeras sin filo que encuentra en cualquier cajón.

Eso no significa que tengas que ir a la peluquería más cara de la ciudad para cortarte el pelo. Las peluquerías económicas y las escuelas de belleza son dos buenas opciones. Las barberías tampoco son caras. Los chicos van a la barbería más a menudo que las chicas, pero también las chicas pueden ir para hacerse un corte sencillo o recortarse el flequillo. Los barberos dominan los cortes de pelo cortos y normalmente trabajan con rapidez. La mejor manera de encontrar un buen peluquero o barbero es preguntar a los amigos, vecinos y parientes. Procura cortarte el pelo más o menos cada dos meses.

Ten en cuenta que como cliente mereces un buen servicio. Dile al barbero o al peluquero lo que quieres que te haga antes de que empiece a darle a las tijeras.

Pídele su opinión sobre lo que te puede ir mejor o lleva una foto de alguien que tenga el corte de pelo que quieras. A no ser que te guste el riesgo, no le digas al peluquero que sea creativo, sobre todo si tiene el pelo espantoso. Si eres específico tendrás más posibilidades de conseguir lo que deseas.

¿Qué puedes hacer si a pesar de todo acabas con el pelo mal cortado? Pedir a tus padres que vayan contigo a hablar con el peluquero o el encargado para que te arreglen el corte o te devuelvan el dinero. Incluso el pelo más corto acaba creciendo. (El pelo crece una media de un centímetro al mes.) Si la gente te gasta bromas, procura que no te afecten.

Si es tu hermana, tu hermano o tu mejor amigo el que tiene un corte horroroso, no te rías de él. Y no hagas comentarios del tipo «¿Qué te has hecho en el pelo?». Si a tu amigo le gusta su nuevo aspecto apóyale. Después de todo, también tú necesitarás que alguien te apoye si decides arriesgarte a cambiar de imagen.

Las peluquerías ofrecen otras opciones, como la permanente, el alisamiento y los tintes. Las permanentes están diseñadas para rizar el pelo; lo contrario es estirar o alisar los rizos. Tanto los chicos como las chicas pueden someterse a estos procesos químicos. Si eres negro y tienes el pelo rizado, puede que uses planchas para estirarlo. Para evitar que se rompa y se agriete utiliza productos «grasos» como acondicionadores intensivos y tratamientos de aceite caliente. Usa cepillos de cerdas naturales y peines de púas anchas.

Si te interesa rizarte o alisarte el pelo está bien tener estas opciones, pero recuerda que si abusas de ellas acabarás con las puntas del pelo tan secas como el algodón de azúcar. Lo más importante es mantener el pelo sano y encontrar un estilo que te guste.

Datos

El pelo humano deja de crecer cuando tiene aproximadamente un metro de longitud, pero hay gente cuyo pelo tiene una capacidad de crecimiento asombrosa. En 1989 se descubrió que el pelo de una mujer india medía seis metros y medio, el más largo del mundo registrado hasta ahora.

La permanente la inventó German Charles Nestle en 1906. Usaba una máquina con unos rulos de metal conectados a una fuente de electricidad. ¡Los clientes se sentaban debajo de la máquina durante 12 horas!

Cambio de color

Hoy en día, los adolescentes constituyen el principal mercado de tintes para el pelo. Si quieres tener el pelo más claro, más oscuro, rosa chicle o verde lima, encontrarás el color que se adapte a tus necesidades personales. Hay diferentes métodos para cambiar el color del pelo, y puedes hacerlo en casa o en una peluquería. Los *reflejos temporales* sólo duran hasta que te vuelves a lavar el pelo. Los *tintes semipermanentes* se mantienen durante unos cuantos lavados, pero sólo sirven para oscurecer el pelo, no para aclararlo. Los *tintes permanentes* no se van al lavar el pelo, pero el nuevo pelo que te crezca será de tu color original.

Si decides cambiar de color, coméntaselo a tus padres antes de lanzarte a hacerlo. Por cierto, no serías el primero en dejar que su mejor amigo le tiña el pelo. Pero ten en cuenta que puedes acabar con el pelo frito y un tono indescriptible. Antes de intentar algo así piensa cómo te sentirías si entraras en la cafetería de la escuela y todo el mundo se diera la vuelta para mirarte.

CONSEJOS PARA CAMBIAR DE COLOR

★ Si quieres tener un aspecto natural elige un color que se acerque a tu color original.

★ Si te das cuenta de que has cometido un error pide ayuda a un peluquero.

★ Usa champús y acondicionadores especiales para pelo teñido.

★ Si tienes el pelo muy seco o dañado espera a teñírtelo para no dañarlo más.

★ No te hagas la permanente o te alises el pelo el día que te lo tiñas; podría secarse aún más.

★ Si estás al sol ponte un sombrero; los rayos ultravioleta pueden alterar las sustancias químicas del tinte y hacer que se vaya el color.

★ Si vas a piscinas tratadas con cloro ponte un gorro de baño. El cloro es una sal química que seca y debilita el pelo; también reacciona con las sustancias químicas de tu pelo si lo tienes teñido, rizado o alisado. Es cierto que el cloro puede hacer que el pelo rubio se ponga verde, así que ten cuidado.

PROBLEMAS CAPILARES

Es primavera, llevas una camiseta negra impecable y de repente te das cuenta de que tienes los hombros llenos de pequeñas escamas blancas. ¿Qué es eso? *Caspa*. En el cuero cabelludo de todo el mundo hay un tipo de levadura que se alimenta de las bacterias de la grasa de la cabeza. Algunas personas son muy sensibles a la levadura, y cuando empieza a crecer de forma excesiva produce esas escamas blancas.

La caspa pica y es incómoda, pero eso no significa que tengas que esconder la cabeza en la arena como un avestruz. Puedes comprar un champú anticaspa en cualquier farmacia. Si tienes un problema de caspa grave (con el cuero cabelludo irritado y escamas amarillas grasientas), vete al médico lo antes posible.

¿Qué otra cosa hace que la cabeza te pique y estés incómodo? Los piojos, esos bichitos a los que les encanta chupar la sangre del cuero cabelludo. La mayoría de la gente cree que ese problema sólo lo tienen los niños, pero a los piojos no les importa la edad. Se instalan en cualquier cabeza. Aunque no los cojas por estar en contacto con animales o al aire libre, te los puede pegar tu mejor amigo. Los piojos pasan de una persona a otra. El principal síntoma de que puedes tener piojos es el picor. Pide a tus padres o a la enfermera de la escuela que te miren la cabeza bajo una luz intensa con una lupa para ver si tienes piojos y huevos pegados a las raíces del cuero cabelludo.

Estos pequeños huéspedes no se irán si no les obligas a hacerlo. Para librarte de ellos, puedes intentar asfixiarlos con aceite de oliva o usar un champú para piojos. Después de tratar el pelo tienes que deshacerte de todas las crías con un peine especial. Los piojos pueden vivir hasta dos días fuera de la cabeza, y pueden quedarse en gorras, almohadas, sábanas, toallas y otras cosas que hayas tocado. Si coges piojos tendrás que lavar tu ropa y tus sábanas y limpiar bien los muebles. Para prevenir contagios procura mantener tus cosas separadas de las de los demás en la escuela y el gimnasio y no compartas nunca cepillos o peines.

Recuerda que el hecho de que te pique la cabeza no significa necesariamente que tengas caspa o piojos. Puede que sólo tengas la piel del cuero cabelludo seca, sobre todo durante el invierno, cuando el aire es más seco. O que hayas estado usando productos demasiado agresivos para el pelo (acondicionadores intensivos, tintes, lacas). Lávate el pelo como de costumbre, pero prescinde de los productos adicionales durante unos días si es necesario. Tu cuero cabelludo se sentirá mejor.

PELO POR TODAS PARTES

Todo el mundo tiene un pelo único. Puede que tú ya hayas encontrado un estilo que te vaya bien, y eso es estupendo. Pero recuerda que hay gente que no tiene un estilo impresionante, o que no sabe qué hacer con su pelo. Respeta el estilo de los demás, aunque carezcan de él.

¿Qué puedes hacer si te critican y se burlan de ti por tu pelo? Te encuentras en una etapa de la vida en la que el aspecto es muy importante, y algunos se obsesionan con las apariencias y creen que su misión es hacer comentarios desagradables a todo el mundo. Aunque se consideren superiores no lo son. Es difícil ignorar este comportamiento, pero debes intentarlo. No te lo tomes muy en serio.

Sigue experimentando hasta que encuentres un estilo con el que te sientas a gusto. La clave está en cuidar bien el pelo y sacar el mayor partido a lo que tienes. En otras palabras, si tienes el pelo negro y liso no pretendas convertirte en una rubia con el pelo rizado. Y si tienes muchos rizos, ¿para qué vas a luchar contra ellos? ¿A quién le interesa esforzarse tanto? Tienes cosas más importantes que hacer.

Capítulo 2

CARA: Hechos faciales

Tienes que reconocer que tu cara dice algo de ti. ¿Quieres que diga (A) que eres una persona sana y agradable o (B) que eres un desastre? Si has elegido la primera opción sigue leyendo para aprender a cuidar bien tu fabuloso rostro. Si has elegido la segunda opción necesitas ayuda. Este capítulo puede convencerte de que la cara que muestras al mundo merece un buen trato.

LOS ENTRESIJOS DE TU PIEL

¿Te parece que tienes la capa de grasa más grande del mundo en la cara o que un volcán está a punto de estallar en tu nariz? No es necesario que llames a un experto en desastres ecológicos. Lo más probable es que tengas la piel grasienta o una espinilla, como mucha gente de tu edad. Tu piel está en plena pubertad, el periodo en el que comienzas a convertirte en un adulto.

Antes y durante la pubertad las hormonas de tu cuerpo se alteran un poco. (Para más información sobre cambios hormonales consulta el capítulo 5, «Olor corporal: Cuestiones básicas» y el capítulo 6, «Esas partes de abajo».) Durante esta época de tu vida tu rostro cambia junto con el resto de tu cuerpo.

¿Has notado que tus rasgos faciales están creciendo y cambiando? ¿Tienes la nariz más grande? ¿Y las orejas? Es posible que esas zonas sobresalgan ahora más que de costumbre. También puedes tener las cejas más oscuras o espesas, y más pelo en la barbilla o en el labio superior, seas un chico o una chica. Todos esos cambios son normales en este periodo, al igual que los cambios de la piel, incluso los que no te gustan.

Tu piel tardará unos cuantos años en asentarse. Si te parece una eternidad, recuerda que tendrá buenos y malos días, como tu pelo. (Para más información sobre el pelo consulta el capítulo 1, «Pelo: ¿Bendición gloriosa o lucha constante?») Con unos cuidados básicos podrás mantener la piel más limpia y sana.

Si te sientes frustrado con tu piel intenta ver el lado positivo. Piensa en lo que hace este órgano maravilloso. Para empezar, la piel mantiene todo tu interior para que el resto de los órganos no se caigan al suelo. Y te protege del exterior para que el agua no penetre en tu cuerpo cada vez que llueve.

Tu piel repele el agua porque tiene poros, pequeñas aberturas por las que sale el sudor. Eso significa que la piel ayuda a tu cuerpo a enfriarse. Tu piel se regene-

«Me gusta mi piel porque es una mezcla de blanco y negro.»
-Takoreah, 9

ra a sí misma cuando te haces un corte o un rasguño, y en ella se encuentran las terminaciones nerviosas que te previenen si tocas algo demasiado caliente. ¿Pensabas que lo único que hacía tu piel era estallar el día del examen oral?

Tu piel es algo más de lo que se ve a simple vista. Acuérdate de cuando te caíste jugando al béisbol y te hiciste ese arañazo tan feo. Si hubieras mirado de cerca esa herida, habrías visto varias capas diferentes. La capa de arriba, en la que no puede penetrar el agua, es la *epidermis*. La capa del medio, la *dermis*, sostiene y da forma a la epidermis. Las glándulas sudoríparas, las glándulas sebáceas, los vasos sanguíneos, las raíces del pelo y los nervios se encuentran en la dermis. Por debajo está la capa *subcutánea*, compuesta principalmente de grasa, que protege los órganos y te ayuda a mantener el calor.

Por lo general la piel tiene un grosor de 1,5 milímetros, más o menos como la punta de un bolígrafo. Ahora ya puedes impresionar a tu profesor de ciencias con tus vastos conocimientos sobre las capas de la piel.

El color de tu piel

El color de tu piel es único, como el resto de tus rasgos y cualidades. Seguro que te has fijado en que tienes la piel más clara o más oscura que tus amigos. ¿Por qué hay tantos colores de piel distintos? Por la *melanina*, el pigmento de la piel. La melanina de las células cutáneas ayuda a determinar el color de la piel. La gente con la piel oscura suele tener más melanina, normalmente más concentrada en sus células cutáneas.

Tengas la piel clara u oscura puedes tener pecas. Esas manchitas de color suelen ser más comunes en la gente que tiene el pelo claro y la piel pálida. Algunos se avergüenzan de sus pecas; otros están orgullosos de ellas.

Las pecas aparecen como consecuencia de los efectos del sol, y por eso suele haber más en la cara, las manos y las piernas, las partes de cuerpo que están más expuestas al aire libre. Si no te gustan las pecas, no olvides aplicarte un protector solar (para más información véanse pp. 42-43), y no pases demasiado tiempo al sol. Recuerda que el protector solar es imprescindible aunque te encanten tus pecas.

Es probable que hayas visto anuncios de cremas decolorantes y te preguntes si deberías usar esos productos para que tus pecas desaparezcan. Las cremas decolorantes son por lo general una pérdida de tiempo y dinero, porque las pecas son permanentes. Si te sobra el dinero para esas cosas, podrías ir a un dermatólogo para que te quite las pecas con ácidos o una aguja eléctrica o te las lije como si fueran astillas en una plancha de madera. Pero estos métodos son bastante drásticos y pueden dejar manchas blancas o cicatrices en la piel. Puede que las pecas no estén tan mal después de todo.

En la piel también puede haber lunares, zonas en las que se produce una acumulación de células pigmentarias. Los lunares pueden aparecer en cualquier parte del cuerpo. Los que salen en la cara se suelen denominar «marcas de belleza». Estas marcas pueden ser marrones o negras, y pueden tener una forma plana o un poco abultada.

Es posible que tengas algunos lunares que no te parezcan nada bonitos. De hecho, puede que te preocupe su aspecto o que la gente se burle de ti. Recuerda que muchas famosas y modelos tienen lunares o marcas de belleza que no les han impedido triunfar en su carrera. Si te molesta mucho un lunar, pregunta a un médico si te lo podría quitar.

Al igual que los lunares, las marcas de nacimiento pueden

Datos

La marca de pinturas Crayola cambió en 1962 el color carne por el melocotón para reconocer que la gente tiene la piel de diferentes colores. Y en 1999 cambió el rojo indio por el color castaño porque algunos profesores afirmaban que los niños asociaban ese color con los indígenas americanos. En realidad, ese nombre proviene de un pigmento hallado en la India.

«Tengo un lunar en la cara. Puede que a algunos les moleste, pero a mí no.»
–Jessica, 10

crear problemas. Estas marcas, normalmente rojas o marrones, están ya presentes al nacer y son permanentes. Muchas marcas de nacimiento son acumulaciones de células pigmentarias. Las llamadas *manchas de vino* se forman cuando se agrupan una gran cantidad de vasos sanguíneos. Las manchas de vino suelen ser rojas o moradas y, por lo general, se encuentran en el cuello o el cuero cabelludo.

Si tienes una marca de nacimiento puede que no te importe, o que estés preocupado por ella, sobre todo si tus amigos y tú estáis empezando a fijaros cada vez más en las apariencias. Si quieres puedes disimularla con un corrector (un tipo de maquillaje), o preguntar a un médico si se puede eliminar con láser.

Glándulas cutáneas

Las glándulas sebáceas de la capa media de la piel son como pequeñas fábricas de sebo o grasa cutánea. Las glándulas sebáceas se encuentran sobre todo en la cara, la frente y el cuero cabelludo. Cuando llegas a la pubertad y tus hormonas empiezan a alterarse, las glándulas sebáceas comienzan a producir más grasa. Esto puede crear más problemas cutáneos y por eso es importante que te laves la cara.

Tus glándulas sebáceas conviven con las *glándulas sudoríparas*. Estas pequeñas productoras de humedad reciben continuamente mensajes del sistema nervioso que les dicen cuánto sudor deben enviar a la superficie de la piel. La función del sudor es humedecer la piel y refrigerar el cuerpo. Si tus poros se llenan de grasa y suciedad, las glándulas sudoríparas no pueden funcionar bien, otra buena razón para lavarse.

¿Qué pintan en esto las bacterias?

Estás rodeado de bacterias. Se encuentran en el aire, en las superficies que tocas, dentro y fuera de tu cuerpo. Las bacterias están relacionadas con todo, desde el acné hasta el olor de pies. Pero si lo piensan bien no son tan malas. En cierta manera, hacen que nuestro mundo sea posible.

Como el resto de nuestro organismo, las bacterias tienen que comer. La diferencia es que las bacterias comen casi cualquier cosa, incluso desechos y sustancias muertas. Por ejemplo, si una mosca muerta cae al suelo, las bacterias se la comen mientras se descompone en la tierra. Aunque parezca repugnante, sin bacterias la podredumbre nos llegaría a las rodillas.

Los seres humanos necesitamos bacterias en nuestro cuerpo. De hecho, la mayoría de las bacterias tienen más efectos positivos que negativos. Algunas viven dentro del cuerpo y combaten a los organismos ajenos a él. Otras viven en la piel y se deshacen de la grasa.

Mucha gente cree que las bacterias son esos bichitos que hacen que enfermemos. Algunas bacterias, como las que se encuentran en la carne cruda o en las *heces* (cacas) pueden provocar enfermedades. Por eso es tan importante que te laves las manos a lo largo del día (para más información consulta el capítulo 4, «Manos: Una gran ayuda»). De esa forma te librarás de las bacterias que producen gérmenes.

También es importante mantener el resto de la piel limpia y sin bacterias. Tu piel estará más fresca y tendrá mejor aspecto si la cuidas a diario. Una vez que conozcas las cuestiones básicas, te resultará muy fácil.

Cuida tu piel

Ahora que sabes cómo está diseñada tu piel puedes aprender a cuidar de ella. Seguro que has oído eso de que lo que hagas ahora con tu piel se reflejará más adelante. Y es cierto. Puedes

---

Datos

En la barbilla, las mejillas y la nariz hay más de 2 millones de bacterias.

Si te extrajesen todo el líquido de tu cuerpo, las bacterias representarían un 10 por ciento de tu peso corporal.

elegir la vía que te llevará a tener la piel arrugada y débil o la que hará que tengas la piel sana toda tu vida.

Naturalmente, en esto también influyen los genes. El color y el aspecto de tu piel dependerá de lo que te hayan transmitido tus padres y tus abuelos. Si tenían la piel clara o problemas cutáneos es muy probable que también tú los tengas. Sin embargo, cómo cuides tu piel determinará en gran medida que esté mejor o peor.

Si crees que el cuidado de la piel es sólo para las chicas te equivocas. Por si no te has dado cuenta, las arrugas y las manchas tampoco son muy atractivas en los hombres. Si eres un chico puedes tener *acné* exactamente igual que una chica. (Para más información sobre el acné, véanse pp. 37-41.) Estos consejos son de carácter igualitario.

Para cuidar bien la piel deberías limpiártela dos veces al día, por la mañana antes de ir a la escuela y por la noche antes de acostarte. No lo hagas como si estuvieses fregando el suelo. Usa un paño suave, límpiate con suavidad y sécate dándote palmaditas con una toalla.

No hace falta que eches la casa por la ventana y compres productos muy caros que aseguran dejar la piel «perfecta». Los jabones y los limpiadores faciales se fabrican con ingredientes diferentes para necesidades diferentes, y tienen diferentes precios. Uses lo que uses, tendrás ese producto en la piel sólo unos segundos antes de aclararlo.

He aquí algunos de los productos que puedes utilizar. Prueba unos cuantos para ver cuál te da mejor resultado:

★ **PASTILLAS DE JABÓN NORMALES:** Quizá te interese empezar con ellas, puesto que cuestan menos que otros productos. Los jabones se fabrican con grasas animales o vegetales, y limpian la suciedad, la grasa, el sudor, las bacterias y las células muertas de tu piel. Algunos expertos dicen que los jabones son demasiado fuertes y pueden secar la piel; otros afirman que son adecuados para la mayoría de la gente. Sin embargo, los jabones desodorantes son otra historia. Reducen el olor corporal, pero son demasiado agresivos para la piel de la cara.

★ **JABONES GRASOS:** Como su nombre indica, estos jabones contienen grasas como aceite de oliva o de coco para mantener la piel hidratada. Son más suaves que los jabones normales, pero dejan grasa en la piel incluso después de aclararlos. Si tienes la piel grasa no necesitas un jabón graso.

★ **JABONES TRANSPARENTES:** Tienen más grasas que los jabones normales y pueden llevar ingredientes como alcohol, azúcar y glicerina. Son suaves pero pueden secar la piel.

★ **LIMPIADORES SIN JABÓN:** Se fabrican con una mezcla de productos derivados del petróleo y están diseñados para todo tipo de pieles. Se aclaran mejor que otros jabones.

★ **LIMPIADORES LÍQUIDOS:** Estos productos están diseñados para pieles sensibles, secas o con manchas. Se pueden encontrar en forma de gel, espuma, loción o crema. También hay toallitas limpiadoras, que resultan muy prácticas para llevar en la mochila.

Por el modo en que las firmas de cosméticos nos empujan a comprar sus productos para hidratar la piel, se diría que todos vivimos en un desierto. A tu edad es probable que tengas bastante humedad en la piel, sobre todo en la de la cara. Si ya tienes la piel húmeda, una crema hidratante podría obstruir los poros o producir más grasa.

Si tienes la piel seca o sensible una crema hidratante puede ayudarte a retener la humedad natural de tu piel. Las cremas hidratantes también son útiles para los inviernos fríos y secos, y pueden suavizar la piel agrietada. Procura no darte demasiada crema hidratante en la cara para que no te salgan granos.

En lugar de una crema quizá te interese usar una loción hidratante, porque las lociones contienen más agua y son más suaves. Por otra parte, las cremas están diseñadas para pieles muy secas. Si tienes acné, no lo agraves con cremas hidratantes muy densas.

Datos

La piel está compuesta por un 70 por ciento de agua.

Hace miles de años, las mujeres egipcias se hidrataban la piel poniéndose un trozo de grasa perfumada en la cabeza y dejando que se derritiera sobre su cuerpo a lo largo del día.

La lanolina, uno de los ingredientes de las cremas hidrantantes, era en un principio un producto graso y maloliente que se extraía de la piel de las ovejas.

Datos

El ejercicio mejora el estado de la piel al incrementar el flujo sanguíneo. Ayuda a la piel a crear nuevas células y la mantiene elástica.

«No me gusta mi piel porque algunas veces está muy brillante y otras veces está tan seca como el papel.»

-Sam, 13

Ahora mismo puede que te preocupe más la grasa que la humedad. ¿Has oído hablar de la «T»? Este término, acuñado probablemente por los expertos en belleza, se refiere a una combinación de piel grasa y seca, también llamada «piel mixta». Es normal tener más grasa en la frente, la nariz y la barbilla (estas zonas forman una «T»). La piel de las mejillas suele ser más seca. Si tienes la piel mixta no es necesario que compres un jabón para las zonas grasas y otro para las secas. Puedes usar un producto para toda la cara; sólo tienes que encontrar uno que te vaya bien.

Los anuncios de televisión y la publicidad de las revistas te dirán que debes comprar el último tónico o astringente para reducir la grasa de la cara y dar firmeza a la piel. El alcohol y otros ingredientes de estos productos pueden hacer que sientas la piel más tensa, pero en muchos casos sólo conseguirás tener la piel más seca y menos dinero en el bolsillo. Algunos de estos productos contienen *mentol* (un ingrediente que te ayudará a despejar la nariz cuando estés resfriado) para dar una sensación de frescor a la piel. Pero tu piel sobrevivirá sin problemas si te olvidas del astringente y simplemente te la limpias bien.

A los anunciantes también les interesa que compres jabones y cremas exfoliantes, que supuestamente dejan la piel más suave. Si tienes la piel sensible, ¿te pasarías un cepillo con púas de alambre por ella? Eso es lo que hacen estos productos. Algunos tienen trocitos de piedras volcánicas para desescamar la capa exterior de la piel y permitir que salgan nuevas células a la superficie. (Esas células de piel muerta se habrían caído solas en un día o dos de todas formas.) Los jabones y las cremas exfoliantes pueden dejar la piel seca y dolorida. Las esponjas son más baratas y suaves para la cara.

Quizá hayas visto anuncios de gente en centros de belleza con máscaras faciales que en teoría dejan la piel fabulosa, pero te recomiendo que te ahorres el tiempo y el dinero. Las máscaras faciales están diseñadas para que se endurezcan en la cara, y luego hay que despegarlas. El objetivo es eliminar la suciedad y las células muertas. Pero una máscara podría secarte la piel o hacer que las glándulas sebáceas produzcan más grasa para compensar la que se pierde con este tratamiento. Aunque no pasa nada porque te apliques una máscara de vez en cuando, no esperes milagros. Después de retirar el producto tendrás la misma cara que ves en el espejo todos los días.

¿Conclusión? Lo único que necesitas es limpiarte la piel con un paño y un jabón o limpiador facial dos veces al día. Utiliza una crema hidratante o un astringente sólo si es necesario. Si tienes alguna duda pregunta a un adulto de confianza cómo deberías cuidarte la piel.

PROBLEMAS CUTÁNEOS

Seas como seas puedes tener problemas cutáneos, sobre todo en la pubertad. Nadie ha tenido nunca (ni tendrá) una piel perfecta. Aunque las revistas y la televisión nos hagan creer lo contrario, es algo que no existe. Al ver fotos de actores, modelos y otros famosos parece que tienen la piel impecable y que no han tenido un problema cutáneo en su vida, pero no es cierto. Los maquilladores y los expertos en iluminación hacen que tengan un aspecto perfecto, pero si les quitan todo eso son bastante parecidos a los demás.

Acné

¿Quién no ha tenido nunca un grano? Si a esto respondes: «Yo siempre he tenido la piel perfecta», o eres especial o el hada de las espinillas no te ha visitado aún. Más del 85 por ciento de los adolescentes tienen acné. Por lo tanto, lo más probable es que tengas granos de algún tipo antes, durante y después de la pubertad, como todo el mundo.

Datos

A los granos que salen en la cara se les llama también *comedones*, que en latín significa «*larva grasa*». Antes los médicos pensaban que los granos parecían larvas de mosca debajo de la piel.

El acné suele aparecer en la cara, el cuello, la espalda, el pecho y los hombros porque en esas zonas hay más glándulas sebáceas.

«Aunque me lavo bien tengo la piel llena de granos. ¿Puede ser genético?»
–Erin, 13

La causa del acné es un misterio, pero según los médicos está provocado por las hormonas, el estrés y la herencia genética. En otras palabras, tus padres y tus abuelos tiene algo que ver con que tengas la piel tersa o propensa al acné. Las hormonas también juegan en esto un papel importante.

¿Te acuerdas de las glándulas sebáceas de tu piel? Cuando eres pequeño esas glándulas producen la cantidad necesaria de grasa para que tengas la piel y el pelo suaves. A medida que creces y las hormonas se alteran, las glándulas sebáceas comienzan a producir más grasa. Si las glándulas sebáceas se inflaman y los poros se obstruyen con grasa, células de piel muerta y sudor, empiezan a desarrollarse las bacterias. Cuando tu cuerpo intenta librarse de las bacterias aparecen los granos, los puntos blancos y las espinillas. He aquí un breve resumen de las diferencias que hay entre ellos:

★ Los **PUNTOS BLANCOS** son poros cerrados con una acumulación de grasa.

★ Las **ESPINILLAS** son poros que no se han cerrado en los que el pigmento ha oscurecido la grasa.

★ Los **GRANOS** son poros inflamados que a veces están cubiertos de pus, que se forma cuando los glóbulos blancos van a destruir a las bacterias. (Cuando mueren los glóbulos se convierten en pus, una imagen nada atractiva.)

El acné puede empeorar con el estrés, las enfermedades, los medicamentos y las lociones grasas. En los casos más graves de acné puede haber quistes, que se forman debajo de la piel y pueden dejar cicatrices. El acné cístico es difícil de tratar con pomadas; si tienes este problema consulta a tu médico.

Si eres afroamericano debes tener especial cuidado con cualquier problema de acné. Como tu piel produce más cantidad de pigmento puede oscurecerse más en las zonas inflamadas o dañadas. Trata tu piel con mucho cuidado. Utiliza productos con una base de agua (no de grasa), para que haya menos posibilidades de que se obstruyan los poros.

NO CREAS EN ESTAS LEYENDAS

★ **LAS COMIDAS COMO EL CHOCOLATE Y LAS PATATAS FRITAS NO PROVOCAN ACNÉ.** Estos alimentos no son buenos para la salud, pero no causan ni empeoran el acné. Algunas personas comen estas cosas cuando están estresadas y, en algunos casos, el estrés puede producir granos.

★ **EL ACNÉ NO SALE PORQUE EL PELO TOQUE LA CARA.** El problema no es la grasa del pelo, sino la grasa acumulada en los poros. Sin embargo, mantener el pelo limpio es una buena idea.

★ **QUE TENGAS ACNÉ NO SIGNIFICA QUE SEAS SUCIO.** Esta leyenda puede haber surgido del aspecto «sucio» de las espinillas. La verdad es que mucha gente limpia tiene acné.

★ **NO ES CIERTO QUE CUANTO MÁS TE LAVES LA CARA MÁS TE LIBRARÁS DEL ACNÉ.** Para mantener la cara limpia sólo tienes que lavártela dos veces al día. No utilices jabones fuertes o exfoliantes. Podrías secarte la piel hasta el punto de tener que usar cremas hidratantes que podrían obstruir los poros. Puede ser un círculo vicioso.

Quizá no sea un gran consuelo, pero el 95 por ciento de la gente tiene acné en algún momento de su vida, incluso en la edad adulta. Resulta difícil ser objetivo con el acné. Cuanto te ocurre a ti te parece terrible.

Aunque no hay ningún remedio para el acné, en las farmacias puedes encontrar numerosos productos para combatirlo. La mayoría de estos productos contienen *resorcinol* (que destruye las bacterias), *ácido salicílico* (que abre los poros y limpia las espinillas) y *peróxido benzoico* (que desobstruye los poros y destruye las

bacterias). Estos ingredientes pueden secar o irritar la piel. Si un producto te irrita la piel deja de usarlo y prueba otro.

Una buena higiene facial también puede ayudar a combatir el acné. He aquí diez reglas generales:

1. Trata bien tu piel. Lávatela con jabones o limpiadores suaves.

2. Utiliza productos para la piel sin grasa.

3. Evita los astringentes, que pueden secar mucho la piel.

4. No te revientes los granos. Puede causar inflamaciones, daños cutáneos, infecciones o cicatrices.

5. Bebe mucha agua. La mayor parte de la piel está compuesta de agua y, por lo tanto, funciona mejor cuando está hidratada.

6. Si es posible evita estar en la cocina cuando se hagan comidas grasas. Aunque comer alimentos grasos no produce acné, si estás sobre un puchero de grasa caliente añadirás una capa adicional de grasa a la piel.

7. Protege tu piel de las quemaduras solares. Antes la gente pensaba que el sol ayudaba a curar el acné, pero la exposición al sol puede espesar la capa exterior de grasa de la piel, que puede hacer que se cierren los poros y haya más problemas.

8. Haz ejercicio para reducir tu nivel de estrés (en algunos casos el estrés provoca acné).

9. Lleva una dieta sana. Consume sobre todo alimentos y bebidas que contengan vitaminas A, B, C y E, que son beneficiosas para tu piel.

10. Si tu caso de acné no es normal, consulta a tu médico.

Si tienes un acné grave puede que el médico te recete antibióticos para aplicar en la piel o para tomar en forma de píldoras; también te puede recomendar medicamentos con posibles efectos secundarios, en cuyo caso debe controlar tu evolución. Ningún medicamento hace milagros de un día para otro; a veces tienen que pasar semanas o meses para que haya una mejoría.

Cómo disimular los granos

Algunos se toman muy en serio lo de tapar los granos, como si hubiese que ocultarlos como una misión secreta. Pero todo el mundo tiene granos. No hay ningún motivo para avergonzarse de ellos.

Nadie sabe por qué, pero esos desagradables bultitos aparecen en los peores momentos. ¿Se acerca el baile de fin de curso? ¿Tienes que hablar delante de toda la clase? Entonces tu piel parece pensar que es el momento oportuno para que te salga un grano en la punta de la nariz.

Rascarse los granos no es la solución. Eso lo han intentado millones de personas millones de veces, y sigue sin funcionar. Normalmente, al rascar un grano se inflama y se enrojece más. ¿Qué puedes hacer entonces? Prueba una pomada para el acné con color o un corrector para disimular el enrojecimiento. Estos productos, que se venden en farmacias, los pueden usar tanto los chicos como las chicas. Elige un tono un poco más claro que tu piel, aplícate el corrector en el grano y extiéndelo bien.

Lo creas o no, la gente no se fija tanto en tus granos, porque lo más probable es que estén demasiado ocupados pensando en los suyos.

Cuidado con el Sol

El sol es el peor enemigo de tu piel. ¿Te parece una exageración? Sólo tienes que fijarte en alguien que se haya pasado la vida bronceándose o trabajando al aire libre en las horas de más calor. Esa piel curtida con manchas y arrugas es consecuencia del sol.

Cuando los rayos ultravioleta del sol llegan a la piel, ésta reacciona produciendo más melanina como defensa. El oscurecimiento es lo que se conoce como bronceado. Aunque nuestra cultura nos haga creer que el bronceado es un síntoma de buena salud, en realidad, es un síntoma de que la piel está dañada, como con una quemadura. Quemarse al sol no es muy diferente a quemarse la mano con una sartén o con agua hirviendo. Una quemadura es una quemadura.

Si tienes la piel muy sensible al sol sabes lo que duele una quemadura. Cuanto más clara tengas la piel, más cuidado debes tener con el sol. Incluso si tiendes a ponerte moreno puedes dañar tu piel. A la gente de piel oscura le afectan los rayos ultravioleta tanto como a la gente de piel clara. Aunque es cierto que cuanta más melanina tengas más protegido estarás, sigue habiendo riesgos. Sea como sea tu piel, PONTE UN PROTECTOR SOLAR.

Los protectores solares existen desde 1928, y se fabrican con varias fórmulas y grados de protección, que están regulados por las autoridades sanitarias. Con un factor de protección 20 tu piel tardaría en quemarse 20 veces más tiempo que sin protector. Deberías aplicarte el protector al menos 30 minutos antes de ponerte al sol para que tu piel pueda absorber el producto. Aplícate una nueva capa después de mojarte o de sudar.

También es una buena idea que te des un poco de protección en la cara todos los días en cualquier estación del año, aunque esté nublado. Lleva un bote en la mochila para tenerlo a mano cuando lo necesites.

Si estás mucho tiempo al sol los rayos harán que las fibras de tu piel se aflojen, y tendrás arrugas más adelante. Los rayos del sol también dañan las células pigmentarias, provocando manchas, pecas, lunares e incluso cáncer de piel. Si no quieres que tu piel parezca un trozo de cuero usa un protector.

Para mantener la piel en buen estado evita el tabaco. Si te fijas en la piel de alguien que ha fumado toda su vida, verás que tiene pequeñas arrugas por todas partes, sobre todo alrededor de la boca. Si te mantienes alejado del tabaco protegerás tus pulmones además de la piel. Cuando seas más mayor te alegrarás de haberlo hecho.

EL REFLEJO DE TU CARA

Imagínate que te estás mirando en un espejo. ¿Qué opinas de ti mismo? ¿Estás contento con la cara que ves? ¿O te parece que tienes un aspecto desagradable y ridículo?

Puede que al mirarte en el espejo centres toda tu atención en un solo rasgo:

★ una nariz demasiado grande, pequeña o torcida

★ esas orejas que sobresalen o están muy pegadas a la cabeza

★ la piel seca, grasa o con granos

★ unas cejas que crecen como la mala hierba

★ una piel demasiado clara u oscura

Aunque cada uno es diferente, todos tenemos algo en común: somos como somos. Todos nacemos con rasgos faciales diferentes, que debemos a nuestros padres. Y algunos no dejan de ver defectos en la cara que refleja el espejo. La clave está en aceptar lo que tenemos y sacarle el mayor partido.

Seguro que has oído hablar de famosos que se vuelven locos con la cirugía estética y se cambian los rasgos de la cara. Algunos parecen monstruos. Si estás pensando en hacerte algún día la cirugía piénsatelo dos veces. Además de ser una operación cara es dolorosa, y lo que es más importante: estás bien como estás.

Ahora mismo tu cuerpo está experimentando muchos cambios, al igual que tu cara. Durante la pubertad es normal que te veas la nariz y las orejas más grandes, o que te parezca que tienes la cara desproporcionada. Quizá tengas la impresión de que esas cosas pasan de un día para otro, o que al ver que tus amigos están cambiando pienses que tú todavía pareces un niño. En cualquier caso, lo más probable es que te sientas incómodo.

¿Qué puedes hacer? Procura no centrarte demasiado en tu aspecto. No te pases el día delante de un espejo ni te obsesiones con todos los cambios que veas. Eres más de lo que pareces. Eres más que una cara: eres una persona de pies a cabeza.

La cuestión del maquillaje

Si eres una chica quizá estés pensando en usar maquillaje. Puede que tus amigas ya lo utilicen, y que quieras comprobar si puede mejorar tu aspecto. Pero es posible que tus padres opinen que aún no tienes edad para esas cosas. Es mejor que hables con ellos antes de gastarte la paga de varias semanas en cosméticos.

Si decides empezar a maquillarte ten en cuenta que menos es más. Seguro que has visto a chicas y mujeres con tanto maquillaje que parecen payasos. Es mejor no llevar nada de maquillaje que demasiado. A tu edad puedes comenzar con un poco de colorete y un lápiz de labios de tonos suaves. Si quieres maquillarte los ojos, elige una sombra natural que no llame mucho la atención. Si quieres llevar rímel dátelo discretamente para que tus pestañas no parezcan patas de araña.

Si crees que estás preparada para probar un maquillaje elige uno que se acerque al color de tu piel. Busca un maquillaje fluido que no cubra demasiado la piel (los más densos pueden quedar como una capa de mortero). Si es necesario también puedes aplicarte unos polvos faciales para que absorban la grasa.

Recuerda que es importante que el maquillaje se adapte a tu tipo de piel (seca, grasa, etc.). Éstos son algunos de los diferentes tipos que existen:

★ **CON BASE DE AGUA:** Se fabrican con más agua que grasa, y se recomiendan para pieles normales o secas (no grasas).

★ **CON BASE GRASA:** Están diseñados para mantener hidratada la piel seca.

★ **SIN GRASA:** Se recomiendan para pieles grasas o pieles cuyos poros se obstruyen con facilidad.

★ **CON BASE DE POLVOS:** Los polvos ayudan a absorber el exceso de grasa y, por lo tanto, estos productos son adecuados para pieles grasas.

Quizá tengas que experimentar con distintos tipos de maquillaje para ver cuál te va mejor. No olvides quitarte el maquillaje todas las noches antes de acostarte para que no te obstruya los poros o se te meta en los ojos mientras duermes. Usa un desmaquillador especial para los ojos en vez de lavarte esa zona con jabón para que no quede la piel seca. La zona de los ojos es la más delicada de la cara, y hay que tratarla con mucho cuidado.

EL MAQUILLAJE A TRAVÉS DE LOS TIEMPOS

★ Las mujeres egipcias se ponían una pintura gris oscura alrededor de los ojos porque creían que les hacía estar guapas y les protegía de cualquier daño. Esa pintura tenía además ingredientes que ahuyentaban a las moscas.

★ En el siglo XVI, en Inglaterra se apreciaba mucho la piel pálida porque indicaba que uno era rico y no tenía que trabajar al aire libre. Las mujeres usaban una mezcla de polvo de plomo y vinagre para tener la piel lo más blanca posible, e incluso se pintaban venas falsas. Pero resultó que el plomo era tóxico y hacía que enfermaran.

★ En Japón, los bailarines de kabuki se pintaban toda la cara de blanco y luego se dibujaban las cejas y los labios con maquillaje rojo y negro.

★ Durante miles de años la gente ha usado el tinte rojo de la henna para decorarse los brazos, las manos, las piernas y los pies con motivos ornamentales. Esta costumbre, que surgió en Oriente Medio y el norte de África, se usaba para embellecer a las mujeres y para tener buena suerte. En las bodas incluso se decoraba a los novios.

Ojos y oídos

Uno de los rasgos más visibles de la cara son los ojos. ¿Cuándo fue la última vez que te hicieron una revisión? A tu edad, tus ojos, como el resto de tu cuerpo, pueden empezar a cambiar. Si bizqueas al mirar la pizarra o te duele la cabeza después de leer un rato deberías ir a un oculista. Puede que necesites llevar gafas. Si ya tienes gafas pero no ves muy bien, puede que tu graduación haya cambiado.

Ahora hay una gran variedad de gafas de todos los estilos y colores. ¿Te preocupa cómo puedes estar con gafas? La mayoría de la gente siente un poco de ansiedad al principio. Claro que las gafas cambiarán tu aspecto, pero lo más importante es que verás el mundo con claridad.

Si llevas gafas recuerda que debes mantenerlas limpias. (Piensa en toda la suciedad y la grasa cutánea que se acumula en ellas todos los días.) Lávalas a diario con agua caliente y un detergente suave o utiliza un limpiador especial para gafas. Frota con suavidad las lentes y el marco con un paño suave que no raye (los mejores son los de algodón). Guarda las gafas en su funda para mantenerlas limpias y para evitar que se rompan.

Las lentillas también pueden ser una buena opción, sobre todo si haces deporte y no quieres jugar con gafas. Consulta a un oculista si pueden ser adecuadas para ti. Las lentillas implican una gran responsabilidad, porque hay que limpiarlas y cuidarlas todos los días. A algunas personas les horroriza la idea de tocarse los ojos para ponerse las lentillas, así que piensa bien si serías capaz de hacerlo.

Como los ojos, los oídos necesitan un cuidado especial. ¿Has oído alguna vez que no debes meterte en el oído nada más pequeño que el codo? Por raro que parezca es cierto. Te sorprenderían las cosas que la gente se mete en los oídos para limpiárselos: llaves de coche, tapones de bolígrafos, horquillas, puntas de lápices. Tampoco deberías utilizar bastoncillos de algodón; como es lógico, las firmas que los venden intentan convencernos de que son necesarios. Los bastoncillos pueden dañar los tímpanos al introducirlos en los oídos. De hecho, pueden meter la cera hacia dentro en vez de sacarla.

Si no puedes usar bastoncillos, ¿cómo deberías limpiarte los oídos? Pasándote un paño húmedo por la parte exterior. Con eso es suficiente.

Pero vamos a retroceder un poco. ¿Por qué tenemos cera en los oídos? ¿Tiene algún propósito aparte de ser repugnante? Como muchas otras cosas desagradables que produce nuestro cuerpo (por ejemplo los mocos), la cera está ahí por una razón. Además de contener sustancias químicas que destruyen los gérmenes, atrapa la suciedad y los insectos que intentan penetrar en los conductos auditivos. Así es como se autolimpian los oídos. La cera captura a su «presa», se desprende de las paredes del oído y se cae con regularidad.

Datos

Puede que te hayas preguntado por qué tienes una especie de costra alrededor de los ojos cuando te levantas por las mañanas. Aunque dejas de parpadear mientras duermes, tus ojos siguen segregando fluidos, que se filtran por los párpados y se secan por la noche.

Los arqueólogos han encontrado las «cucharas» que usaban los vikingos para limpiarse los oídos. Eran de hueso, marfil o metal, y algunas tenían tantos adornos que las mujeres las llevaban colgando de sus joyas.

La cera calienta el aire de los oídos para protegerlos.

Datos

Nadie sabe por qué, pero la gente de distintas razas tiene la cera de los oídos diferente. La mayoría de los hispanos, los caucásicos y los afroamericanos tienen una cera parduzca y húmeda. Los asiáticos y los indígenas americanos tienen una cera seca y grisácea.

Sin embargo, también puede haber problemas por una acumulación de cera. Si tienes los oídos tapados y sientes molestias, puedes usar unas gotas especiales para disolver la cera y eliminarla.

Pelo facial

Puede que hayas notado que te está saliendo pelo en la cara. Cómo te lo tomes dependerá en parte de si eres un chico o una chica.

Durante la pubertad los chicos empiezan a tener pelo en el labio superior. A muchos les encanta, porque significa que enseguida podrán afeitarse. Lo ven como un signo de que están creciendo. Por otra parte, a algunos les desagrada tener pelo en la cara tan pronto y se avergüenzan de ello. Que te salga el pelo facial antes o después dependerá de tu herencia genética. Habla con tu padre o con tu abuelo sobre sus experiencias para hacerte una idea de lo que puedes esperar.

Por lo general, el pelo facial masculino comienza con una fina pelusa en el labio superior, que parece piel de melocotón. Gradualmente ese pelo empieza a cubrir la zona del bigote y luego se extiende por las mejillas, las patillas y el mentón. Esto no ocurre de un día para otro. Si tu pelo facial tarda en aparecer, ten paciencia. Con el tiempo alcanzarás a otros chicos a los que les ha crecido antes el pelo.

En algún momento estarás preparado para afeitarte por primera vez. Cuando llegue ese día tendrás que decidir si quieres usar una maquinilla eléctrica o manual. Las eléctricas son más caras y no afeitan tan bien como las de cuchillas. Pero es más difícil que te cortes con ellas, y no tendrás que cambiar de cuchillas continuamente.

CONSEJOS PARA AFEITARSE CON MAQUINILLAS MANUALES

- ★ Mójate la cara con agua caliente para abrir los poros.

- ★ Ponte una capa fina de espuma de afeitar. Elige una suave para la piel.

- ★ Usa una maquinilla afilada. Aféitate con suavidad, sin raspar ni apretar demasiado.

- ★ Enjuaga la cuchilla a menudo para que corte mejor.

- ★ Cuando acabes lávate la cara con agua caliente.

Si eres afroamericano o tienes el pelo rizado puede que el pelo te crezca hacia dentro, por debajo de la piel, y forme bultitos. Para intentar evitarlo aféitate en el sentido de crecimiento del pelo. También puedes usar un paño para levantar los pelos antes de que se metan hacia dentro.

Datos

Aunque creas que el pelo de la cabeza crece muy rápido, no es nada si se compara con lo que crece la barba de un hombre. Si un tipo normal no se recortara nunca la barba, tendría que atársela y echársela sobre los hombros para no pisarla.

★

En América la gente pasa una media de 3.500 horas de su vida afeitándose.

Cuando termines de afeitarte sécate la cara con suavidad, sin frotar la piel. Si quieres puedes usar una loción para después del afeitado. Evita las lociones con alcohol, porque pueden tener un efecto abrasador (como si echaras alcohol en una ampolla abierta). Hay algunas lociones para pieles sensibles que ayudan a recuperar parte de la humedad.

Cuando a las chicas les crece el pelo en el labio superior, la historia es diferente. Normalmente no les hace ninguna gracia. A las que tienen el vello más oscuro o fuerte les suele salir pelo en el labio superior e incluso en la barbilla. Algunas usan decolorantes faciales para aclarárselo. Otras se lo quitan con pinzas. Otras se depilan con cera. Y algunas no hacen nada al respecto.

Depilarse con cera no es muy agradable. Para ello tienes que aplicarte cera caliente en la piel, ponerte una tira de papel sobre ella y quitártela de un tirón. (El pelo se queda en el papel.) La ventaja de este método es que el pelo tarda en salir varias semanas, pero además de ser doloroso irrita la piel. Si quieres intentarlo, es mejor que lo hagas un fin de semana para no que no tengas que ir a clase al día siguiente con la piel roja e irritada.

Si estos métodos no te van bien y te preocupa mucho el pelo facial, puedes recurrir a la electrolisis o a la depilación con láser. En la electrolisis se utilizan impulsos eléctricos para eliminar los pelos. En los tratamientos con láser se aplican impulsos luminosos para evitar que el pelo crezca durante unas semanas. Estos métodos resultan caros, y no siempre son una solución definitiva. Habla con tus padres antes de probar cualquiera de estas opciones.

Seas un chico o una chica, quizá hayas observado que tienes las cejas más oscuras y espesas; otro síntoma de la pubertad. A veces crecen tanto que parece que sólo hay una ceja a lo largo de la cara (a las personas que les ocurre esto se les llama «cejijuntas»). Para domar las cejas puedes depilártelas con pinzas.

La primera vez que lo hagas puede que te lloren los ojos, pero con el tiempo te acostumbrarás a esa sensación.

Como puedes ver, los seres humanos hacemos un montón de cosas para mantenernos sanos y tener buen aspecto. Nos afeitamos y nos depilamos; nos lavamos y nos hidratamos; compramos todo tipo de productos para los granos. Y nos miramos al espejo para ver cómo estamos. Muchas veces nos preguntamos si nuestro aspecto será adecuado. Si tienes dudas respecto a tu imagen, quizá te ayude recordar que mucha gente de tu edad se encuentra en la misma situación.

Hay algunos detalles de tu aspecto que no puedes controlar: el color de tu piel, la forma de tus orejas o el tamaño de tu nariz. Es mejor que aceptes esas cosas y sigas con tu vida. Sin embargo, puedes controlar cómo cuidas tu piel. También puedes ponerte unas gafas atractivas o maquillarte un poco si así te sientes mejor. Con estos pequeños esfuerzos puedes mejorar tu imagen.

¿Sabías que hay un método infalible para tener buena cara? ¡Sonríe! Una sonrisa puede hacer maravillas en tu aspecto y ayudarte a que te sientas bien por dentro. Sin lugar a dudas, la gente responde de forma más positiva a una sonrisa que a un ceño fruncido. En el siguiente capítulo aprenderás a mantener tu sonrisa lo más radiante posible.

¿Por qué tenemos cejas? Las cejas son como pequeños canalones que desvían el agua y el sudor de nuestros ojos. También resultan muy útiles para «interpretar» el estado de ánimo de los demás.

La próxima vez que veas el cuadro de la *Mona Lisa*, fíjate en sus cejas. En la época del Renacimiento muchas mujeres se afeitaban las cejas.

Capítulo 3

BOCA: Un parque de atracciones para los gérmenes

Imagina que estás viendo una entrega de premios musicales en la televisión. Tu artista favorita está en el escenario cantando su último éxito, y la cámara enfoca sus fabulosos dientes blancos, perfectamente alineados, sin ningún empaste a la vista. Es muy probable que te preguntes por qué tus «perlas blancas» no lo son tanto como las suyas. ¿Por qué todo el mundo en la televisión parece tener una sonrisa perfecta mientras los demás tenemos otra cosa?

Voy a contarte unos cuantos secretos. En primer lugar, la mayoría de los famosos hacen grandes esfuerzos para tener una sonrisa espléndida. Con un costoso tratamiento de odontología estética se pueden conseguir unos dientes blancos impecables. Pero los famosos también son humanos, y su boca, como la tuya, está llena de gérmenes. A las bacterias les encanta el entorno cálido y húmedo de la boca humana. (Para más información sobre bacterias, véase p. 33.) Se lo pasan en grande explorando los dientes y las encías. Si dejas que hagan lo que quieran puedes tener serios problemas. Por eso es tan importante que te cuides la boca. Sigue leyendo para averiguar cómo debes hacerlo.

TUS INCREÍBLES DIENTES

La mayoría de nosotros no prestamos mucha atención a los dientes. Simplemente están ahí cuando necesitamos masticar una patata frita, arrancar los granos de una mazorca de maíz o mascar nuestro chicle favorito. Imagina cómo sería la vida sin dientes. Supón que tuvieras que llevar dientes postizos como algunas personas mayores y quitártelos por la noche antes de acostarte. Sin dientes para mantener la forma de la cara parecería que la tienes hundida. Y te resultaría más difícil hablar, porque los dientes te ayudan a pronunciar las palabras con claridad.

Seguro que cuando eras pequeño te emocionaba la idea de que se te cayeran los dientes de leche. No podías esperar a arrancártelos y ponerlos debajo de la almohada para que viniera el ratoncito Pérez. Y estabas deseando que te salieran los dientes «grandes» (definitivos). Estos dientes suelen parecer enormes en la mayoría de los niños porque su cara no ha crecido aún.

Además de los 28 dientes definitivos te pueden salir cuatro muelas del juicio más adelante. Estas muelas suelen aparecer entre los dieciocho y los cuarenta años, cuando se supone que somos lo bastante mayores para tener juicio. Los dientes definitivos son exactamente eso, definitivos. Son todo lo que tienes para el resto de tu vida. Si llegas a los ochenta por ejemplo, tus dientes tendrán que durar todo ese tiempo. Si no quieres perderlos en la vejez, cuídalos desde ahora y mantén unos hábitos saludables toda tu vida.

Cada tipo de diente está diseñado para una función diferente. Los *incisivos*, o dientes frontales, están afilados para poder cortar la comida que ingieres. Los *caninos* son los dientes puntiagudos, similares a los colmillos de un perro, que te ayudan a despedazar la comida. Más atrás tienes los *molares*, que son más anchos y sirven para triturar los alimentos. Como tienen muchas ranuras, en los molares se pueden producir más caries que en otros dientes.

Tus dientes son tan duros para que puedas masticar la carne y las verduras. De hecho, el *esmalte*, la capa exterior de tus dientes, es la sustancia más dura de tu cuerpo, más dura incluso que el hueso. La parte interior de los dientes está compuesta por una sustancia dura y amarillenta llamada *dentina*. En el centro se encuentra la *pulpa*, la zona blanda que está llena de vasos sanguíneos y nervios. Estos nervios envían mensajes al cerebro para que sepas con cuánta fuerza debes morder la comida. Los nervios también te comunican rápidamente si tienes un diente roto o picado.

La verdad sobre la caries

Menos mal que no vamos por ahí con microscopios, porque no nos gustaría ver los microorganismos que comparten nuestro espacio personal. A estas diminutas criaturas les encanta nuestra boca, donde hay una temperatura constante, un alto grado de humedad y un «parque de atracciones» que está siempre abierto.

No es de extrañar que en tu boca haya lugares interesantes para esas criaturas: los resquicios de los dientes, la línea de las encías, las grietas de la lengua y el cielo de la boca. Algunos de estos microorganismos ayudan a descomponer los alimentos y destruyen las bacterias nocivas. Son esos otros los que debes vigilar, los que corroen el esmalte de tus dientes.

Es muy probable que hayas oído a tu dentista o a otro adulto hablar de la *placa*, esa capa pegajosa que se desarrolla en los dientes y se puede acumular con el tiempo. Si no te lavas los dientes después de comer, se endurece y forma una sustancia llamada *sarro*. Aunque parezca que tienes los dientes lisos, en realidad hay un montón de grietas en las que se acumulan la placa y el sarro. La placa es blanda y pegajosa; el sarro es esa sustancia dura que el dentista tiene que raspar con instrumentos especiales.

Si quieres puedes ver y tocar la placa de tus dientes ahora mismo. Coge un palillo de dientes o un dedo y raspa con cuidado un diente por el borde de la encía. Esa sustancia blanca y viscosa que sale es la placa. Para palpar la capa de placa pasa la lengua por los dientes; probablemente notarás una sensación áspera. Luego frótate los dientes con un paño unos diez segundos y vuelve a pasar la lengua por ellos. Esta vez deberían estar más suaves, porque has quitado parte de la placa con el paño.

Cuando hay una acumulación de placa y sarro existe el riesgo de que haya una *caries*. Así es como se produce: el azúcar de los alimentos que comes se mezcla con las bacterias de tu boca y se convierte en ácido. En teoría la *saliva* neutraliza ese ácido, pero si se encuentra bajo una capa de placa no puede realizar su trabajo. Cuanto más azúcar consumas más ácido habrá alrededor de tus dientes.

Cuando el ácido comienza a corroer el esmalte de los dientes se forma una pequeña cavidad que acaba llegando a la dentina. Entonces el ácido empieza a atacar a los nervios y comienzas a sentir dolores. Al cabo de un tiempo el ácido puede penetrar en la pulpa del diente, y los dolores aumentan. Si las caries se detectan pronto (antes de que lleguen a la pulpa) se pueden repa-

Datos

La mayoría de los americanos consumen unos 70 kilos de azúcar al año.

★

Todos los días produces suficiente saliva para llenar tres latas de refresco.

★

Los investigadores dentales están trabajando para desarrollar materiales de empastes que puedan liberar sustancias al detectar una caries para detenerla e incluso repararla.

«Tengo una caries enorme en la parte de atrás de la boca. Me falta casi medio diente.»
-Anthony, 9

rar con un pequeño empaste. Para ello el dentista tiene que taladrar la parte cariada del diente y rellenarla con una sustancia dura (normalmente una mezcla de plata y otros metales). Los esmaltes pueden ser pequeños u ocupar casi todo un diente.

Los dentistas cada vez tienen más pacientes con caries debido a los refrescos. Ahora la gente bebe más colas y otros refrescos con gas que nunca en grandes cantidades. De hecho, en algunos establecimientos venden vasos en los que caben hasta 170 centilitros de refresco, el equivalente a cinco latas.

Antes de tomar un refresco ten en cuenta estos datos:

★ Una lata de refresco normal contiene 10 cucharadas de azúcar.

★ El americano medio bebe 210 litros de refrescos al año.

★ Los refrescos también contienen ácidos perjudiciales para los dientes. Si dejases una moneda en un vaso de cola toda la noche, por la mañana descubrirías que los ácidos de la cola han limpiado la moneda. Piensa en lo que pueden hacer esos ácidos al esmalte de tus dientes.

★ Después de tomar azúcar, los ácidos atacan a los dientes durante 30 minutos aproximadamente.

En las escuelas suele haber máquinas de refrescos, con lo cual resulta más fácil comprar estos productos. Pero si te acostumbras a beber muchos refrescos te costará dejar ese hábito. Tu cuerpo comenzará enseguida a necesitar su dosis diaria de azúcar y cafeína. Cuando tengas sed es mejor que tomes leche, zumos de frutas o agua.

CÓMO TENER UNA SONRISA SANA

Que necesites o no muchos empastes dependerá del tipo de dientes que tengan tus padres. Los estudios han demostrado que, aunque cuidarse los dientes siempre es importante, la dentadura que uno hereda puede ser fuerte o frágil por naturaleza. Sin embargo, tienes la oportunidad de mantener tus dientes todo lo fuertes y sanos que sea posible. La clave está en consumir menos azúcar y en aprender a limpiarte los dientes correctamente.

Al cepillarte los dientes además de eliminar las partículas de comida también te librarás de la placa. Los dentistas recomiendan cepillarse los dientes al menos dos veces al día. Cepíllate durante *dos minutos* para asegurarte de que lo haces a fondo. Para que te resulte más fácil calcular el tiempo puedes poner un cronómetro en el cuarto de baño.

He aquí unos cuantos consejos para conseguir un buen resultado:

★ Usa un cepillo de dientes de cerdas medianas. Cambia el cepillo cada tres o cuatro meses o cuando empiece a desgastarse.

★ Cepíllate con movimientos circulares. Intenta limpiarte también entre los dientes.

★ No frotes con mucha fuerza para que no se formen grietas en el esmalte.

★ Algunos dentistas recomiendan usar cepillos de dientes eléctricos e irrigadores, que echan chorros de agua en las encías para extraer las partículas de comida. Sin embargo, la Asociación Dental Americana afirma que los cepillos de dientes normales son tan eficaces como los eléctricos si se utilizan bien. (Que uses un cepillo eléctrico no significa que no tengas que hacer nada.)

Datos

Los primeros cepillos de dientes eran trozos de ramas. La gente masticaba ramitas para quitarse la placa de los dientes; la grasa de la madera mataba las bacterias.

★

A lo largo de la historia, las dentaduras postizas se han hecho con hueso, oro, marfil, porcelana o dientes de animales y humanos. Los dientes humanos solían proceder de los soldados muertos en los campos de batalla.

★ Al comprar un cepillo de dientes (o cualquier producto dental) comprueba si está aprobado por las autoridades sanitarias.

★ Elige una pasta de dientes con flúor (la mayoría de las marcas contienen esta sustancia). El flúor fortalece el esmalte y combate la placa. Utiliza muy poca pasta y evita tragártela al cepillarte los dientes.

★ No olvides cepillarte también la lengua.

Después utiliza un hilo dental para limpiar la placa que se queda entre los dientes. Los dentistas recomiendan hacerlo al menos una vez al día. El hilo dental sin cera recoge más placa de entre los dientes que el encerado, pero algunas personas prefieren el hilo encerado porque tiene una textura más suave. Comprueba cuál te va mejor.

Si te cuidas bien los dientes ahora evitarás tener gingivitis más adelante. La gingivitis se produce cuando las bacterias de la placa y el sarro infectan las encías, que empiezan a separarse de los dientes dejando más espacio para que se desarrollen las bacterias. Para prevenir la gingivitis vete al dentista con regularidad.

Es muy probable que ir al dentista no sea una de tus actividades favoritas. Al menos no vives en la Edad Media, en la que los barberos ejercían también de dentistas. (Podías cortarte el pelo y sacarte una muela al mismo tiempo.) Hace unos cientos de años la tecnología dental no había mejorado mucho aún. Los dentistas no sabían cómo arreglar las caries, así que se limitaban a extraer los dientes. Algunos tenían músicos que tocaban a todo volumen para que la gente que pasaba por la calle no oyera los gritos de dolor de los pacientes. En aquella época no existían los calmantes que tenemos ahora.

Además de evitarte muchos dolores, el dentista puede hacerte unas radiografías para ver por dentro los dientes y las encías y detectar las caries a tiempo. En la consulta del dentista también te pueden hacer una limpieza de boca especializada. Hazte una revisión dental cada seis meses si es posible. Recuerda que el dentista está ahí para ayudarte a cuidar los dientes que piensas tener toda tu vida.

Los tratamientos dentales no siempre están al alcance de todos los bolsillos. Averigua si en tu zona hay programas dentales subvencionados. Otra opción es buscar una escuela de odontología, que puede ser más económica que una consulta privada.

Por último, para mantener los dientes en buena forma puedes usar un protector bucal cuando hagas deporte. Hay tres tipos de protectores bucales: a medida, adaptables y estándar. Los protectores a medida los hace el dentista después de sacar un molde de tus dientes, y son los que más protegen. Los adaptables se venden en la mayoría de las tiendas de deporte; se muerden después de ablandarlos en agua caliente y luego hay que dejar que se endurezcan sobre los dientes. Los de tipo estándar son los más baratos, pero no protegen tanto como los otros porque no se ajustan a la forma de tus dientes. En cualquier caso, tardarás un tiempo en acostumbrarte al protector que elijas, pero es peor que te partan un diente.

Come bien para tener la boca sana

Los arqueólogos han encontrado cráneos de hombres que vivieron hace miles de años, y han comprobado que muchos de ellos conservaban sus dientes toda la vida. Esto se debe probablemente a que no se pasaban el día comiendo barritas de chocolate o caramelos. No tenían acceso a los alimentos azucarados que producen caries.

Hemos de reconocer que a la mayoría de nosotros nos gustan los dulces. Es difícil renunciar a las galletas, los pasteles, los donuts y ese tipo de cosas. Pero si comes menos dulces tus dientes estarán mejor ahora y dentro de unos años. No hace falta que dejes los dulces del todo; basta con que los reduzcas. Intenta evitar los refrescos, las bebidas congeladas y las bebidas concentradas en polvo (todas ellas contienen azúcar).

Ya sabes el daño que puede hacer el azúcar, pero hay otros alimentos perjudiciales que quizá te sorprendan. Los cereales y los *crackers* también pueden producir caries, al igual que las pasas y las barritas de cereales. Cuanto más se peguen a los dientes más daño pueden hacer.

Por otra parte, los alimentos ricos en fibra como las frutas y las verduras ayudan a limpiar los dientes. Estos alimentos hacen que las glándulas salivales comiencen a producir saliva, que ayuda a neutralizar el ácido que corroe los dientes. Las frutas y las verduras dejan una capa de humedad en los dientes que ayuda a prevenir las manchas y las bacterias. También puedes tomar alimentos ricos en calcio, como el yogur y el queso, para fortalecer el esmalte de tus dientes.

CÓMO COMER DULCES

1. Cepíllate los dientes y usa el hilo dental después de comer o tomar un piscolabis. Como mínimo cepíllate dos veces al día y usa el hilo dental una vez. Aunque no puedas lavarte los dientes cada vez que te metas algo en la boca, puedes llevar un cepillo de dientes en la mochila para cuando tengas la oportunidad de hacerlo.

2. Come dulces sólo cuando puedas lavarte los dientes después.

3. Si no puedes lavarte los dientes después de comer dulces, enjuágate la boca con agua cuando termines. O come un trozo de queso o unas rodajas de manzana para que la saliva elimine los ácidos que se hayan acumulado en los dientes.

4. Toma las bebidas con azúcar con pajita para que toquen los dientes lo menos posible.

¿Quieres tener los dientes más blancos?

Si hojeas cualquier revista para adolescentes verás un montón de bocas con unos dientes relucientes. Si te miras los tuyos en un espejo, es muy probable que no te parezcan tan radiantes. De hecho, puede que al compararlos los veas un poco amarillos. Eso es porque no te has blanqueado y pulido los dientes como la mayoría de los modelos de las revistas.

El esmalte de algunas personas es por naturaleza más amarillento que el de otras. Así pues, no compares tus dientes con los de tu mejor amigo ni con los de nadie. Lo mejor que puedes hacer es cuidar lo que tienes. Si quieres tener los dientes más blancos límpiatelos con regularidad. Quizá te interese comprar una pasta de dientes blanqueadora o cepillarte de vez en cuando con bicarbonato (lo encontrarás en el armario de la cocina). También puedes limitar el consumo de bebidas que oscurecen los dientes (especialmente la cola, el café y el té).

Evita también el tabaco. Según las estadísticas, el 45 por ciento de los alumnos de secundaria consumieron algún tipo de tabaco el año pasado. Imagina cómo tendrán la boca esos fumadores cuando sean adultos. Si les hicieras una revisión verías que tienen los dientes llenos de manchas y las encías sin brillo, por no hablar de su mal aliento. El tabaco de mascar también causa este tipo de problemas. Además, las compañías tabaqueras añaden azúcar a estos productos para que sepan mejor, con lo cual aumenta el riesgo de caries.

Ortodoncias

Boca de metal, boca de tiburón, dientes de alambre. A la gente con ortodoncias le llaman todas estas cosas. Si te asusta tener la boca llena de piezas de metal no eres el único. Las ortodoncias pueden ser un asunto muy delicado. Es posible que te preguntes si la gente te tomará el pelo, o si la ortodoncia condicionará tu vida social, sobre todo si tienes que llevarla varios

«Podrías llamarme «boca de metal». Ahora llevo un «protector labial» para reducir la presión en los dientes delanteros. Y en sexto me pondrán los «hierros».

-Rachel, 10

«Llevo una ortodoncia en la boca, y quiero que sepas que no duele. Si haces lo que te dice el dentista y la cuidas no tiene por qué romperse.»

-Sarah, 12

años. Estas dudas y preocupaciones son normales. Casi todo el mundo se pone un poco nervioso al principio.

Así es cómo funcionan las ortodoncias: las tiras de metal que se pegan a los dientes van unidas con alambres. El dentista tensa y afloja esos alambres lo necesario para que los dientes queden bien alineados. Los herrajes que sujetan los dientes se mueven a lo largo de la mandíbula para que crezca el hueso en el espacio sobrante. Todos estos movimien-

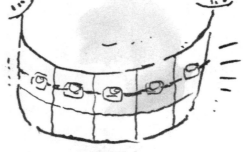

tos pueden causar molestias en la boca, sobre todo cuando se ajustan las piezas.

Hay otros aparatos dentales que también puedes necesitar. Por ejemplo, quizá tengas que llevar unos grilletes para que los dientes se pongan bien antes. Puedes necesitar un «protector labial» para que los labios no hagan demasiada presión en los dientes frontales. O un corrector de plástico y metal que se encaja en la boca para mantener los dientes en su sitio, normalmente después de quitar la ortodoncia. La experiencia de cada uno respecto a estos tratamientos y el tiempo necesario para adaptarse a ellos varía de una persona a otra.

Recuerda que tú eres el responsable de los aparatos que te proporcione el dentista. Los grilletes no son nada divertidos, pero si es necesario tendrás que llevarlos. Lo mismo sucede con los correctores. Después de estar con una ortodoncia durante un año o dos no te haría ninguna gracia que tus dientes recién alineados empezaran a torcerse otra vez por no usar un corrector. No permitas que eso ocurra.

Es importante cuidar bien estos aparatos. ¿Has visto alguna vez a alguien removiendo desesperadamente en la basura de la

Datos

Las ortodoncias
no son sólo para
niños. Una de cada
cinco personas con
ortodoncia es un
adulto. En
realidad, no son
sólo para seres
humanos. Los
perros con
problemas
dentales también
pueden llevar
ortodoncias.

★

Los primeras
ortodoncias
fueron
desarrolladas en
1728 por Peter
Fauchard. Estaban
hechas con tiras
de metal que se
ataban a los
dientes con hilo.

cafetería para buscar su corrector? No es ninguna broma. Guarda el corrector en su funda cuando no lo lleves puesto para evitar ese tipo de situaciones.

Mantener el corrector limpio es esencial porque pasa mucho tiempo en contacto con los gérmenes de la boca. Quítate el corrector y límpialo con el cepillo de dientes y un poco de pasta al menos dos veces al día, por la mañana y por la noche. Si quieres puedes usar además un colutorio o un limpiador para dentaduras postizas.

También es importante mantener la ortodoncia limpia, pero esto no siempre es fácil. (¿Has visto alguna vez sonreír a alguien con una ortodoncia después de comer, con un poco de patata aquí y un trocito de bróculi allá?) Cepillarse los dientes después de comer ayuda a eliminar esas partículas de comida y a limpiar los resquicios en los que suelen esconderse las bacterias. De hecho, la mejor manera de mantener la ortodoncia limpia es cepillarse cuatro veces al día (por la mañana, después de comer, después de cenar y a la hora de acostarse). Pide a tu

Datos

El mal aliento matutino se produce porque la saliva descansa durante la noche y deja la boca seca. La ausencia de saliva hace que haya más bacterias, que se multiplican y hacen que la boca huela mal.

★

Si vas a una pizzería y te preocupa que el pan con ajo te deje mal olor en la boca, mastica el perejil con el que está decorado el plato para refrescar el aliento de una forma natural. Cuando acabes, asegúrate de que no tienes ninguna hoja pegada a los dientes.

dentista información sobre cepillos especiales e irrigadores para limpiarte los dientes lo mejor posible.

Usar el hilo dental con una ortodoncia resulta difícil, pero puedes comprar unos «pasadores» especiales para meter el hilo por debajo de los alambres y entre los dientes. Hazlo con cuidado para no estropear los alambres o dañar las encías.

Los dentistas recomiendan a los pacientes con ortodoncia hacerse una limpieza de boca cada tres meses. También es aconsejable evitar los alimentos duros o pegajosos –helados, palomitas de maíz, frutos secos, chicles, melcocha, caramelos, pasas– que puedan dañar la ortodoncia o quedarse entre los dientes.

Alrededor del 70 por ciento de los adolescentes lleva ortodoncias, así que si te pones una algún día no estarás solo. En vez de preocuparte por la ortodoncia intenta recordar que la recompensa serán unos dientes rectos. Si te centras en ese objetivo te resultará más llevadero.

DI ADIÓS AL MAL ALIENTO

El mal aliento es una de las cosas que más preocupa a la gente de tu edad, al menos según los chicos y chicas que asisten a mis charlas. Muchos de ellos afirman que les preocupa su aliento y no saben qué hacer con él.

Seguro que ahora sabes más del mal aliento que cuando eras pequeño. No es que entonces no supieras nada, pero no era algo que te importara. Ahora te preocupa más la impresión que causas a los demás, y quieres tener el aliento fresco al hablar con la gente.

Puedes hacer la prueba del aliento ahora mismo. Ponte la mano delante de la cara, echa el aire por la boca y luego respira por la nariz. ¿Has notado algo raro?

Si estás leyendo esto por la mañana es probable que no tengas muy bien el aliento. Nadie se levanta con la boca limpia y

BUENOS DÍAS...

fresca porque los gérmenes y los olores se acumulan por la noche. En otros momentos del día puedes tener mal aliento por comer ajo o cebolla o simplemente porque hace tiempo que no te has lavado los dientes.

Si te lavas los dientes y usas el hilo dental con regularidad, no deberías tener problemas de mal aliento. Piensa si te cuidas bien la boca. Si tienes mal aliento a lo largo del día puede ser porque no te lavas los dientes después de comer o de tomar un bocado. Lleva un cepillo de dientes y un dentrífico en la mochila o ten siempre a mano pastillas de menta y chicles sin azúcar. Si tienes mal aliento con frecuencia, pregúntate si te lavas bien los dientes. A tu edad tus padres no deberían estar encima de ti para que lo hagas correctamente.

También puedes usar un colutorio para combatir el mal aliento. Los colutorios destruyen las bacterias, eliminan los restos de comida de los dientes y dejan en la boca una sensación de frescor. Pero no todos son iguales. Cuando elijas un colutorio comprueba si está aprobado por las autoridades sanitarias.

A veces los colutorios pueden ocultar un problema dental. El mal aliento y el mal sabor de boca pueden ser síntomas de un trastorno dental que podría acabar siendo grave. Si el mal aliento es un problema constante no sigas encubriéndolo. Si ves que la gente contiene la respiración cuando hablas o que tu perro se escabulle cada vez que intentas darle un beso, vete al dentista para que te haga una revisión y te recomiende algo para el mal aliento. Si te dice que tienes la boca sana, quizá debas ir al médico para averiguar la causa de tu mal aliento.

NO TE OLVIDES DE LOS LABIOS

Tus labios, que en cierto sentido son la puerta de tu boca, te ayudan a comer, hablar y besar. Si últimamente piensas cada vez más en los besos, el cuidado de la boca te parecerá más importante que nunca. Es posible que te preocupe besar con mal aliento (¡ag!), besar con una ortodoncia (¡ay!) o besar a alguien que fume (¡puaf!) Aunque no lo parezca los labios son muy importantes.

¿Tienes los labios secos o agrietados? Puede que te los lamas mucho cuando estás nervioso o aburrido, o que te los muerdas si estás muy concentrado. La mayoría de la gente no se da cuenta de estos hábitos hasta que los labios presentan signos de desgaste. Pasar mucho tiempo al sol y al aire libre también puede agrietar los labios. Para evitarlo cómprate una crema labial o vaselina para hidratar los labios y bebe más agua que de costumbre.

También es posible que tengas pequeñas erupciones en los labios de vez en cuando. Si pican o escuecen es probable que sea herpes. El herpes está causado por un virus, y se puede contagiar al dar un beso e incluso al compartir una bebida con alguien. El herpes se cura solo, pero puedes acelerar el proceso aplicándote en los labios una pomada especial.

Para acabar con el tema de los labios

vamos a hablar de los *piercings*. Aunque eres demasiado joven para esas cosas, puede que estés pensando en hacerte alguno más adelante. Si es así debes considerar los riesgos que conlleva. En la boca hay millones de bacterias, y al perforar los labios o la lengua se deja una herida abierta para que las bacterias se acumulen en ella. Podrías acabar con una desagradable infección, daños nerviosos u otros problemas.

Con un poco de esfuerzo puedes cuidarte la boca por dentro y por fuera. Si lo haces te sentirás mejor. ¿A quién le interesa tener los labios agrietados, mal aliento o caries? A ti no. Si dedicas unos minutos al día a lavarte los dientes y dejas de morderte los labios notarás la diferencia. Cuando tengas la boca sana te sentirás más seguro al hablar con los demás. Y podrás mostrar al mundo una sonrisa espléndida.

Capítulo 4

MANOS: Una gran ayuda

¿Has oído hablar de esas personas que tienen un trastorno que les hace lavarse las manos cien veces al día? Les dan tanto miedo los gérmenes que se frotan las manos hasta levantarse la piel. Aunque no es necesario que te asusten tanto los gérmenes, no estaría mal que pensases un poco más en ellos. Tus manos están ahora mismo llenas de gérmenes. Si te estás mordiendo las uñas mientras lees, te estás metiendo esos gérmenes en la boca, y algunos pueden hacer que enfermes.

En este capítulo descubrirás por qué es tan importante tener las manos limpias. Nadie espera que tengas las manos como las «modelos de manos», pero andar por ahí con un montón de porquería en las uñas tampoco es una gran idea. Tus manos dicen algo de ti. Con un poco de esfuerzo pueden decir que eres una persona limpia y pulcra.

LÍBRATE DE LOS GÉRMENES

Pero ¿por qué insiste tanto la gente en que hay que lavarse las manos? A lo largo de tu vida, tus padres te han dicho que te laves las manos más veces de las que puedes recordar. Y también te lo habrán dicho los profesores, los médicos y las enfermeras. ¿Por qué es tan importante tener las manos limpias?

Tus manos son tus principales herramientas, y las utilizas constantemente. Confías en ellas cuando escribes en el teclado del ordenador, coges una pelota, comes un bocadillo, te suenas la nariz, abres un armario, tocas un instrumento musical, agarras una barandilla, te pones los zapatos, limpias la cesta del gato y muchas otras cosas. Ahora piensa en todo lo que tocas cuando usas las manos.

Imagina que pudieras pasar un bastoncito de algodón por cualquier objeto que toques (el ratón del ordenador, el pomo de una puerta) y enviar luego la muestra a un laboratorio. ¿Qué crees que encontrarían los técnicos del laboratorio? Gérmenes, por supuesto. Los gérmenes están en todas partes, flotando en el aire y rondando en cualquier superficie. Y cuando penetran en tu cuerpo se multiplican como locos.

Nunca sabes qué tipo de gérmenes puede haber a la vuelta de la esquina. Cuando los tocas con las manos pueden acabar dentro de ti. Todos los días introduces gérmenes en tu cuerpo al frotarte los ojos, limpiarte la nariz o morderte las uñas. Afortunadamente, el agua y el jabón pueden deshacerse de esos gérmenes. Los expertos de los Centros de Control de Enfermedades dicen que el remedio más eficaz para evitar que se propaguen las infecciones es lavarse las manos.

Es posible que estés pensando: «Nuestra casa está limpia. No me preocupan los gérmenes». Piénsalo mejor. Que no puedas ver los gérmenes no significa que no estén ahí. Incluso las casas más limpias están llenas de gérmenes, como los lugares públicos que frecuentas a diario: la escuela, el autobús, la biblioteca o las tiendas.

Piensa en lo sucios que pueden estar esos lugares. Vamos a suponer que un compañero tuyo va al servicio a hacer caca. Después de limpiarse puede tener restos microscópicos de heces en las manos. Ahora imagina que olvida lavarse las manos y que abre la puerta del servicio. ¿Qué dejará en el pomo? Lo has adivinado.

Si tú vas después y pones tu mano sobre ese pomo te contaminarás la mano con algunos de esos gérmenes. Luego vuelves a tu mesa, y mientras escuchas al profesor te das cuenta de que tienes un padrastro y decides quitártelo con los dientes, pero tu dedo no es lo único que entra en tu boca. Dicho de otro modo, las bacterias de las heces pueden vivir en el interior de tu cuerpo sin hacerte daño, pero cuando se acumulan muchas de esas bacterias pueden provocar una diarrea.

El cuerpo humano tiene capacidad para combatir una gran cantidad de gérmenes. Si no fuera así la gente estaría siempre enferma. Pero ¿para qué vas a arriesgarte a tener una diarrea o un resfriado? Simplemente lavándote las manos te librarás de los gérmenes que tu cuerpo no necesita. Así de sencillo.

RIESGOS DE NO LAVARSE LAS MANOS

★ Podrías coger un resfriado, una gripe o una afección de estómago como consecuencia de los gérmenes.

★ Podrías ponerte enfermo después de tocar carne cruda, huevos o aves. (También podrías enfermar si quien prepara la comida no se lava las manos.)

★ Podrías contraer una salmonelosis si tienes un reptil en casa. La mayoría de los reptiles son portadores de una bacteria llamada salmonela, que puede estar en su piel, en las jaulas y en las cosas que tocan. Lávate bien las manos después de tocar un reptil, y si le metes en la bañera límpiala luego a fondo.

Cómo lavarse las manos

Quizá te parezca ridículo que te diga cómo tienes que lavarte las manos a tu edad, pero mucha gente no lo hace como es debido. Según algunos estudios, incluso los médicos y las enfermeras deberían revisar ese hábito. En un estudio publicado en 1992 en el *New England Journal of Medicine* (una revista para profesionales de la salud), los investigadores comprobaron que, en la unidad de cuidados intensivos de un hospital, sólo entre el 30 y el 48 por ciento del personal se lavaba las manos.

Al parecer mucha gente ha olvidado lo que le enseñaron sus padres respecto a lavarse las manos después de usar el baño. En un estudio reciente de la American Society of Microbiology's Clean Hands Campaign, un grupo de observadores clandestinos entró en los servicios públicos de Nueva York, Atlanta, Nueva Orleans, Chicago y San Francisco. Después de observar a unas

«En mi escuela hay gente que no se lava las manos NUNCA. No me gusta tocar nada que hayan tocado.»
–Krystal, 12

8.000 personas sin que su presencia resultara demasiado evidente, los observadores comprobaron que muchos de los usuarios de esos servicios olvidaban por completo lavarse las manos.

En Atlanta, por ejemplo, cerca del 65 por ciento de los hombres pasaban por delante de los lavabos sin utilizarlos. Aunque alrededor del 95 por ciento de la gente dice que se lava las manos después de usar el baño, el 33 por ciento no lo hace. Y esto es alarmante, porque los que no se lavan dejan sus gérmenes en las superficies que tocamos todos.

He aquí algunos consejos para que te laves las manos perfectamente:

1. Mójate las manos con agua caliente y échate un poco de jabón (con un chorrito es suficiente).

2. Cierra el grifo mientras te laves para no derrochar agua. Frótate las manos enérgicamente (como si estuvieras quitando una mezcla pegajosa de grasa y harina).

3. Lávate las palmas, el dorso de las manos, entre los dedos y por debajo de las uñas durante veinte segundos como mínimo.

4. Aclárate bien con agua caliente.

5. Sécate las manos con una toalla de papel (no con la camisa). Pero no la tires aún...

6. Abre la puerta del servicio con la toalla de papel para no tocar el pomo. Mantén la puerta abierta con el pie y echa la toalla en el cubo de la basura. (Es una buena manera de practicar los tiros libres.)

¿Qué puedes hacer si necesitas lavarte las manos y no hay un lavabo cerca? En esos casos conviene llevar un bote de desinfectante líquido para manos (de los que no hace falta aclarar). También puedes usar toallitas húmedas, que vienen en cómodos paquetes. Guarda estos productos en la mochila, la taquilla, el bolso o el bolsillo.

Por si acaso te falla la memoria, vamos a recordar cuándo deberías lavarte las manos:

★ **ANTES DE COMER CUALQUIER COSA.** (¿Quién quiere comer gérmenes?)

★ **DESPUÉS DE USAR EL BAÑO.** (Recuerda que puede haber restos fecales en cualquier superficie.)

★ **ANTES DE AYUDAR A PREPARAR LA COMIDA.** (Tu familia no tiene por qué comer los gérmenes de tus manos.)

★ **DESPUÉS DE TOCAR CARNE CRUDA.** (Esos gérmenes pueden ser muy peligrosos.)

★ **ANTES DE TOCAR A UN BEBÉ.** (Los bebés no pueden combatir los gérmenes con tanta facilidad porque su sistema inmunológico es más débil.)

★ **DESPUÉS DE ACARICIAR A TU PERRO, GATO, REPTIL O PEZ.** (Bueno, puede que no acaricies a tu pez, pero seguro que le cambias el agua.)

★ **DESPUÉS DE LIMPIAR LA CESTA DEL GATO.** (Aunque los gatos parezcan limpios, recuerda que tapan sus excrementos con las patas.)

★ **DESPUÉS DE QUE TE LAMA TU PERRO.** (No sabes dónde ha podido meter la boca: en la basura, en la tierra para comer gusanos muertos.)

★ **DESPUÉS DE HACER DEPORTE O JUGAR CON VIDEOJUEGOS.** (Los *joysticks* pueden acumular mucha suciedad.)

★ **CUANDO ESTRECHES LA MANO A ALGUIEN.** (Aunque le caigas bien a esa persona no necesita tus gérmenes.)

- ★ **CUANDO VAYAS A UN RESTAURANTE, SOBRE TODO SI PIDES HAMBURGUESAS, TACOS O PATATAS FRITAS.** (Esas comidas te sabrán mejor si no las cubres con los gérmenes de las manos.)

- ★ **DESPUÉS DE TOSER O ESTORNUDAR.** (Piensa en la cantidad de gérmenes que pueden quedarse en tu mano. Para evitarlo puedes toser o estornudar en la manga.)

- ★ **DESPUÉS DE SONARTE LA NARIZ.** (Los pañuelos no lo atrapan todo.)

VERRUGAS, MANOS SUDOROSAS Y OTRAS CUESTIONES

Al oír hablar de verrugas puede que te venga a la cabeza lo que tienen las brujas en la punta de la nariz o los jabalíes. Pero las verrugas son un problema muy humano. Mucha gente tiene verrugas en las manos o en los pies. Si te sale una verruga en la mano verás un bultito rugoso con unos puntos negros (que son los vasos sanguíneos).

Las verrugas son la infección cutánea más común que puedes tener. De hecho, hay más de 40 tipos diferentes de verrugas, que salen por tocar virus, no por tocar ranas. Las verrugas no suelen doler y, normalmente, desaparecen solas.

Sin embargo, puedes comprar en la farmacia un tratamiento «ácido» para librarte de una verruga. Otra opción es que un médico te la queme con un aparato eléctrico. Antes de probar cualquiera de estos métodos quizá te interese esperar un poco. Puede que la verruga desaparezca enseguida.

Algunos creen que las verrugas son algo vergonzoso, y les preocupa que los demás piensen que son sucios por tener una verruga. Puedes decir a la gente que es una infección cutánea sin importancia. Si quieres usa una tirita para ocultar la verruga temporalmente. Ahora, algunos productos para quitar verrugas incluyen tiritas para cubrirlas hasta que desaparecen.

Otro problema embarazoso son las manos sudorosas. Las palmas de las manos están llenas de glándulas sudoríparas, y por lo tanto, sería raro que no te sudaran de vez en cuando. Pero a tu edad es probable que te suden más que antes. Esto es normal al llegar a la pubertad, porque las glándulas sudoríparas se alteran al igual que las hormonas.

Las emociones pueden hacer que las manos suden. Si estás nervioso o estresado (¿quién no lo está alguna vez?), es posible que tus manos empiecen a sudar, y que te resulte violento si vas a dar la mano a alguien o tienes que saludar a una persona que no conoces. En vez de preocuparte demasiado, con lo cual podrías sudar más, recuerda que a todo el mundo le sudan las manos a veces. No eres el único.

Si el sudor de las manos es para ti un problema puedes usar un antitranspirante que contenga aluminio. Póntelo directamente en las palmas de las manos para que resulte más eficaz.

También es posible que tengas el problema opuesto: las manos secas y agrietadas. Esto suele suceder en invierno porque el frío y el viento resecan la grasa natural de la piel y la humedad de las manos. Si tienes las manos secas puedes usar una loción hidratante. Aplícatela tan a menudo como sea necesario, sobre todo antes de acostarte para que la piel la absorba por la noche.

Ya sabes que lavarse las manos es importante, pero si las tienes secas y te las lavas mucho pueden secarse aún más. El mejor remedio es que te las dejes un poco húmedas después de lavártelas y te apliques una loción que ayude a retener la humedad.

UÑAS

A los gérmenes les encanta esconderse debajo de las uñas; una razón más para que te laves bien las manos. Sabiendo esto pue-

«Odio que me suden las manos. Algunos mueven las manos cuando las tienen sudadas para que se sequen.»

–Huy, 12

de que te lo pienses dos veces la próxima vez que te apetezca morderte las uñas.

Muchos de nosotros no prestamos atención a las uñas hasta que tenemos que cortárnoslas o nos damos un golpe sin querer con un objeto duro, por ejemplo con un martillo. Entonces la punta del dedo nos duele, pero mucho menos que si no tuviéramos una uña cubriéndolo. Además de proteger las puntas de los dedos, las uñas nos ayudan a hacer muchas cosas rutinarias, como coger un clip o una moneda o separar una loncha de queso.

Las uñas de las manos y de los pies están compuestas de queratina, una sustancia que también se encuentra en el pelo, las garras, las plumas y los cuernos de los animales. En cada uña hay varias partes. La *placa*, en la que no hay tejidos vivos, es la parte que se corta. La *cutícula*, la franja de piel que bordea la base de la uña, une la placa a la piel y ayuda a prevenir infecciones. El *lecho* de la uña es el tejido blando que se encuentra debajo de la placa y contiene una gran cantidad de nervios y vasos sanguíneos.

Las uñas crecen continuamente –unos seis milímetros al mes–, y pueden crecer con más rapidez en verano que en invierno. Las uñas de la mano que más se utiliza suelen crecer más que las de la otra mano.

¿Cómo te cuidas las uñas? ¿Encajas en alguna de estas categorías?

1. **PULCRO:** Te limpias las uñas cuando te lavas las manos y te las cortas cuando las tienes un poco largas.

2. **PRESUMIDO:** Te gusta llevar las uñas bien arregladas, como el pelo y otros detalles personales.

3. **DESCUIDADO:** Sólo te acuerdas de las uñas cuando te las muerdes.

4. **NO PODRÍA IMPORTARTE MENOS:** Vas a la escuela con las

uñas largas llenas de porquería. (Piensa en todas las bacterias y las escamas de piel que puede haber ahí debajo.)

Eres tú quien debe decidir cuánto esfuerzo merecen tus uñas. Si no te fijas nunca en ellas, ya es hora de que las cuides un poco más. Por otro lado, si te preocupan tanto que evitas algunos deportes o actividades para que no se te estropeen, deberías simplificar esa rutina. La mejor apuesta es mantener las uñas limpias.

Córtate las uñas y límalas con regularidad. Para ello puedes usar un cortauñas y una lima normal. También puedes utilizar una lima de cartón con lija por ambos lados para pulir y suavizar las uñas. Cuando te des un baño y tengas las uñas blandas perfílate las cutículas con una lima. Si es necesario puedes comprar productos para endurecer o fortalecer las uñas.

A algunas chicas les gusta pintarse las uñas con esmalte. Experimentar con distintos colores y estilos resulta divertido. Si usas colores oscuros aplícate antes una base transparente para evitar que las uñas se manchen.

Si quieres ponerte uñas postizas ten en cuenta los problemas que pueden causar. Las uñas postizas que se pegan a las auténticas cortan el suministro de oxígeno al lecho de las uñas. A veces las infecciones comienzan por debajo. Las uñas postizas adhesivas son mejores porque se pueden quitar al cabo de unos días.

Recuerda que aunque las uñas parezcan muy duras en realidad son porosas. Esto significa que tienen poros o agujeritos que pueden absorber líquidos. Por lo tanto, si pasas mucho tiempo en una

Datos

En el año 2000, un hombre de la India que posee el récord Guinness por tener las uñas más largas del mundo, acabó cortándoselas. Dijo que sus uñas, que medían más de un metro, le hacían daño en el brazo y la muñeca izquierda.

★

En el siglo V a.C., los egipcios se pintaban las uñas metiendo los dedos en henna, el tinte que también usaban para teñirse el pelo.

«Si no te gusta tener las uñas cortas, no engañes a nadie poniéndote uñas postizas. Decide cuánto quieres que te crezcan y déjalas en paz (sin mordértelas) hasta que tengan esa largura.»
–Chelsea, 12

piscina tratada con cloro, por ejemplo, es posible que tengas las uñas débiles. Para protegerlas puedes aplicarte un poco de vaselina, que también ayuda a lubricar las uñas secas y quebradizas.

Problemas de uñas

Si te muerdes las uñas, sabes lo difícil que es dejar ese hábito al que te dedicas cuando estás nervioso o aburrido.

Algunos sólo se mordisquean las uñas; otros se las muerden hasta la raíz. De ese modo, las uñas pierden su capacidad para proteger las puntas de los dedos, y se quedan raídas y rugosas.

Si quieres dejar de morderte las uñas puedes conseguirlo. Intenta pensar en los gérmenes que te metes en la boca cada vez que lo haces. También sirve de ayuda tener las uñas bien pulidas; cuantos menos bordes haya en ellas menor será la tentación. Otra de las opciones es comprar un producto especial para no morderse las uñas (en teoría el sabor amargo tiene un efecto disuasorio).

¿Qué hace que te muerdas las uñas? ¿Los deberes? ¿Los exámenes? ¿Un partido importante? En esas situaciones, haz un esfuerzo para no llevarte los dedos a la boca y busca otra forma más sana de controlar el estrés.

Otro problema muy habitual son los padrastros, los trocitos de piel que se separan de la cutícula. Los padrastros son dolorosos, e incluso pueden sangrar. Aunque es tentador mordérselos, normalmente así se empeora el problema. Es mejor que te los recortes con unas tijeras pequeñas. No hurgues más de lo necesario para cortar un padrastro. Después date una pomada en el dedo y tápate esa zona con una tirita hasta que se cure.

Si tienes las uñas amarillas podrías tener hongos. (El esmalte de uñas oscuro y el alquitrán del tabaco también pueden amarillear las uñas.) Otro síntoma de los hongos es que la uña se separa del lecho. Si tienes este problema ve al médico para que te dé un tratamiento.

Gracias a las manos y los dedos puedes tocar el piano, manejar un bate de béisbol, escribir un poema y acariciar a un perro. Piensa en la cantidad de cosas maravillosas que pueden hacer tus manos. ¿No se merecen que las cuides y las protejas? ¡Levanta la mano si estás de acuerdo!

Capítulo 5

OLOR CORPORAL: Cuestiones básicas

«¿Por qué huele la gente, y qué puede hacer para evitarlo?»

«¿Por qué sudo tanto?»

«¿Cada cuánto debería ducharme?»

«El año pasado no olía mal. ¿Qué me pasa este año?»

Sniff
Sniff

¿**Q**ué es ese tufillo? Probablemente es tu olor corporal, o el de alguna otra persona.

Puede que últimamente hayas notado ciertos efluvios en tu clase o en los vestuarios. Por la tarde el aire está cargado de olores desagradables, y tu profesor ha empezado a poner ambientadores en diferentes sitios. ¿A qué se debe eso? A la pubertad.

Durante la pubertad tu cuerpo madura y tus glándulas sudoríparas empiezan a funcionar con más intensidad que cuando eras más pequeño. Esas glándulas producen algunos olores extraños, que aunque son naturales pueden no ser agradables. Pero no debes preocuparte, porque en la pubertad es posible estar limpio y oler bien. En este capítulo descubrirás cómo.

LOS BENEFICIOS DEL SUDOR

Como otros órganos de tu cuerpo, tus glándulas sudoríparas tienen una función determinada: impiden que tu cuerpo se caliente en exceso. Sin ellas tendrías graves problemas.

Imagina que estás en un entrenamiento de fútbol un día sofocante. Tus compañeros y tú hacéis ejercicios mientras corréis de un lado a otro del campo. Cada vez que puedes bebes un trago de agua, pero no dejas de sudar.

El sudor es el líquido salado que segregan los millones de glándulas sudoríparas que tienes por todo el cuerpo. El sudor está compuesto por un 99 por ciento de agua y un 1 por ciento de otras sustancias, como sodio (sal), cloruro, potasio, urea (que se encuentra en la orina), amoniaco, ácido úrico y fósforo. Cuando tu cuerpo elimina el sudor a través de los poros tu piel se enfría.

La temperatura normal del cuerpo es de unos 37°. El sudor nos ayuda a mantener esa temperatura, aunque fuera haga calor. Las glándulas sudoríparas son nuestro sistema de refrigeración personal. ¿Has visto alguna vez un coche a un lado de la

---

Datos

La mayoría de las glándulas sudoríparas se encuentran en las palmas de las manos y en las plantas de los pies.

La gente que vive en zonas cálidas suele tomar comidas con especias, que activan sus glándulas sudoríparas y les ayudan a refrescarse.

«Cuando
piensas que estás
sudando, sudas
aún más.»
-Colin, 10

carretera con un montón de humo saliendo del capó? Tus glándulas sudoríparas impiden que te recalientes de ese modo regulando tu temperatura corporal día y noche.

Si miras a tu alrededor, verás que algunas personas sudan más que otras. Algunos sudan mucho haciendo cosas normales como sentarse en clase; otros sudan sobre todo al hacer ejercicio físico.

Sea cual sea tu nivel de sudor puede que te sientas un poco incómodo. No es nada divertido, por ejemplo, sudar la gota gorda haciendo gimnasia y volver luego a una clase en la que hace calor. Mientras escuchas al profesor, es posible que notes el sudor saliendo de las axilas y te preguntes quién ha abierto los aspersores.

Si ahora sudas más que antes es muy probable que se deba a la pubertad, y es totalmente normal. Sin embargo, algunas personas tienen un trastorno llamado *hiperhidrosis*, que hace que les suden mucho las axilas, las manos o los pies. El sudor excesivo puede ser embarazoso. Si tienes este problema consulta a un médico. Dependiendo de lo grave que sea, se puede tratar con medicamentos o productos especiales.

Da la bienvenida al olor corporal

Al pensar en el sudor puede que pienses en el olor corporal. Aunque entre ellos hay una relación, en esta historia hay algo más. De hecho, el sudor no huele cuando sale por los poros. ¿Te acuerdas de todas esas bacterias que pululan por tu cuerpo? (Para más información véase p. 33.) A las bacterias les encantan los entornos cálidos y húmedos como el de las axilas, y al reaccionar con el sudor sueltan olores.

Hay dos tipos de glándulas sudoríparas: las *ecrinas* y las *apocrinas*. La mayor parte de tu sudor proviene de tus 2 millones de glándulas ecrinas, que se encuentran sobre todo en las manos, los pies y la frente. Esas glándulas producen el sudor que se te acumula en las palmas de las manos cuando juegas a un videojuego o tienes que hablar en público. Seguro que cuando haces deporte tienes que limpiarte el sudor de los ojos de vez en cuando. Aunque es molesto que esas zonas suden al menos no huelen. No es muy probable que tengas la frente o las manos malolientes.

Por otro lado, las glándulas apocrinas se activan al llegar a la pubertad. Estas glándulas se encuentran en las axilas, alrededor de los pezones y en las ingles. Las glándulas apocrinas producen un sudor más denso que sí huele. Cuando las bacterias se mezclan con este sudor se crean más vapores pestilentes, y antes de que puedas darte cuenta aparece el olor corporal.

El sudor y las bacterias no son los únicos responsables del olor corporal. El sebo (la grasa de la piel) también juega un papel importante. Si te pasas el dedo por la nariz, verás que se te queda una capa de grasa en la yema. Eso es el sebo, la grasa que protege la piel y el pelo.

Aunque es fácil saber si tienes la nariz grasa, puede que no seas consciente de la grasa que se produce en otras partes del cuerpo, por ejemplo debajo de los brazos. Sin embargo, la piel de todo el cuerpo está cubierta de sebo. (Si no fuera así estaríamos tan secos como los cocodrilos.)

El problema es que esa grasa puede oler tan mal como la grasa de cocinar rancia. Además, la grasa es una trampa para la suciedad, las células de piel muerta, las bacterias y las glándulas apocrinas. Esta mezcla puede ser pestilente. Afortunadamente, el agua y el jabón se lo llevan todo.

A tu edad puede que necesites ducharte o bañarte todos los

Datos

Las bacterias son tan diminutas que en un solo poro puede haber una docena.

La cafeína de los refrescos y el café puede estimular las glándulas sudoríparas y el olor corporal. Los alimentos con olores fuertes como las cebollas y el ajo también pueden hacer que el cuerpo huela.

«La primera vez que mi amiga se dio cuenta de que olía fue muy divertido. Estaba sentada encima de su abuela, que le dijo: "Deberías usar un desodorante".»
-Laura, 12

días. Lavándose a diario se eliminan la suciedad y el sudor, se destruyen los gérmenes y se evita el olor corporal.

Cómo controlar el olor corporal

He aquí una cuestión digna de debate: ¿qué es mejor, la ducha o el baño? Los partidarios de la primera opción pueden decir que las duchas son más rápidas e higiénicas (puesto que no te sientas sobre tu suciedad). Pero los adictos a la segunda opción pueden argumentar que no hay nada más relajante que un buen baño. Y ambos tienen razón.

La clave está en lavarse todos los días de una forma u otra, sobre todo durante los meses más calurosos, en los que se suda más. Si tienes la piel seca no deberías estar mucho tiempo en agua caliente, porque podría secarse más. Toma duchas o baños más cortos con agua más fría y aplícate luego una loción hidratante.

Si alguna vez no puedes ducharte o bañarte hay otras opciones. Puedes lavarte las axilas en el lavabo con una esponja o una toallita húmeda. En las farmacias y los supermercados venden toallitas con jabón desechables; lo único que tienes que hacer es quitarte la suciedad y el sudor antes de tirar la toallita a la basura.

Al eliminar el sudor y la grasa de tu cuerpo, aunque sea de forma temporal, podrás combatir el olor corporal.

Ahora hay tantas marcas de jabones que quizá te preguntes cuál deberías usar para lavarte. ¿Has estado alguna vez en una de esas tiendas en las que venden jabones de todas las fragancias imaginables? ¿Quién necesita un jabón de cáscara de nuez o de aguacate? Los jabones caros y exóticos no son mejores que los que puedes encontrar en el supermercado. No hace falta que gastes mucho dinero para estar limpio.

BREVE HISTORIA DEL JABÓN

Aunque no se sabe a ciencia cierta, según la leyenda, el jabón se descubrió de forma accidental cuando los romanos sacrificaban animales para sus dioses. Con la lluvia se mezclaba la grasa animal con las cenizas del fuego, y esa mezcla impregnaba el suelo. Las mujeres comprobaron que al lavar la ropa sobre esa tierra arcillosa quedaba más limpia.

En el siglo II se hacía en Francia un jabón muy tosco; en el siglo VII ya estaba establecida la fabricación de jabón en Italia y en España. Hasta el siglo XVIII la gente usaba el jabón principalmente para lavar la ropa.

En 1791, un químico francés descubrió la manera de hacer carbonato sódico con sal común, y la gente comenzó a fabricar su propio jabón en casa. Hasta entonces sólo los ricos podían permitirse el lujo de comprar jabón.

Para hacer jabón en casa, las mujeres americanas recogían grasa animal y grasa de cocinar además de las cenizas de la madera. Luego echaban agua caliente sobre las cenizas y lo mezclaban con la grasa hervida.

A mediados del siglo XIX, los fabricantes de jabón comenzaron a producir jabones para el consumo masivo. Los «jaboneros» compraban grasa a la gente, la transformaban en jabón y se lo vendían de nuevo a las familias.

Actualmente hay muchos tipos de jabones, pero la mayoría se siguen haciendo con grasa.

Cualquier tipo de jabón elimina el sebo, la suciedad y las bacterias de la piel. (Para más información sobre diferentes tipos de jabones y limpiadores, véanse pp. 34-35.) Quizá tengas que probar varias marcas hasta que encuentres un jabón con un aroma y un precio que te guste. Cada vez que te duches o te bañes, no olvides lavarte bien las axilas y la zona de las ingles.

Los jabones desodorantes y antibacterianos ayudan a combatir el olor corporal. Los jabones desodorantes contienen ingredientes especiales para neutralizar

Datos

En vez de usar jabón, los griegos se daban aceite en la piel y se echaban encima cenizas o arena. Luego se quitaban esta mezcla con un instrumento de metal curvado llamado estrigila.

«Hago deporte, y no hay mucho que se pueda hacer para evitar el olor corporal. Lo único que ayuda es ducharse después de los partidos y usar un desodorante. A veces huelo fatal después de un partido, pero los demás también.»

–Ashley, 13

el olor. Los antibacterianos están especialmente diseñados para destruir las bacterias. Estos productos eliminan el mal olor, pero recuerda que tu cuerpo no deja de producir sudor, grasa y olores. El jabón sólo hace efecto durante un tiempo determinado.

DESODORANTES

Los antitranspirantes y los desodorantes entraron en escena a finales del siglo XIX, pero fue a mediados del siglo XX cuando los americanos popularizaron estos productos. En esa época se oían muchos seriales radiofónicos, que estaban patrocinados por fabricantes de jabón y, de repente, la gente empezó a comprar muchos más jabones. Se creyeron el mensaje que vendían los anunciantes: que era importante estar limpio y oler bien.

Hoy en día siguen vendiendo este mensaje, y no sólo a los adultos. Las firmas de cosméticos se están centrando cada vez más en los adolescentes. Seguro que has visto un montón de anuncios en televisión y en las revistas que insisten en lo importante que es no oler ni sudar nunca. (Para eso tendrías que ser un robot.) Así es como consiguen tantos beneficios. Quieren que te sientas mal por el olor de tu cuerpo; cuantos más productos compres más dinero ganan ellos.

Ten en cuenta que la actitud respecto a la higiene personal varía mucho de un sitio a otro. La mayoría de los americanos piensa que el olor corporal es repulsivo, y rechazan a cualquiera que huela un poco mal. En otros países, la gente considera el sudor algo perfectamente natural; no les preocupan tanto los olores. Y en algunas partes del mundo la gente no usa nunca desodorantes.

Sin embargo, si vas a cualquier tienda en Estados Unidos verás un montón de desodorantes y antitranspirantes; en algunas hay pasillos enteros dedicados a estos productos. Por alguna razón los americanos creen que el olor corporal se debe evitar a toda costa.

Pero ¿qué diferencia hay entre los desodorantes y los antitranspirantes? Los desodorantes, que tienen sustancias especiales para destruir las bacterias, eliminan el olor. Por otra parte, los antitranspirantes te ayudan a mantenerte seco. Contienen sales de aluminio que cierran los poros de las axilas para que no salga el sudor. Algunos antitranspirantes pueden tener además sustancias bactericidas. También hay desodorantes-antitranspirantes que están diseñados para combatir el olor y la humedad. Estos productos se venden en barras, *roll-ons*, *sprays*, geles y cremas. Prueba unos cuantos para ver cuál te va mejor.

Recuerda que las firmas que venden estos productos quieren convencerte de que te ayudarán a ser más «femenina» o más «varonil», pero la mayoría contienen los mismos ingredientes. La única diferencia está en el envase, el precio o los perfumes que se añaden.

Sigue las instrucciones del producto para no darte mucho o muy poco. Si utilizas un *roll-on* ponte una capa fina y uniforme debajo de los brazos y deja que se seque antes de vestirte. Si prefieres un *spray* no lo pulverices más de dos segundos. Si usas un producto sólido comprueba si deja manchas blancas en la ropa; podría indicar que te has puesto demasiado.

Si quieres probar desodorantes naturales que no contengan tantas sustancias químicas vete a una herboristería. Muchos de estos productos incluyen hierbas con efectos bactericidas como manzanilla, romero y extracto de té verde. También puedes utilizar una piedra desodorante de cristal con sales minerales bactericidas. Aunque pueda parecer extraño, pasarse una piedra desodorante por debajo del brazo, estas piedras duran más y son más baratas que otros desodorantes. Para improvisar un antitranspirante casero económico, aplícate unas gotas de olmo con una bola de algodón.

Datos

Los desodorantes se consideran «cosméticos» porque actúan en la superficie de la piel. Sin embargo, los antitranspirantes son medicamentos porque alteran el funcionamiento del cuerpo.

«Una vez no me puse desorante y el chico que me gustaba me dijo algo sobre eso.»
–Macey, 12

Si después de usar alguno de estos productos sigues notando cierto olor, puede que no te hayas cubierto bien la zona de las axilas o que el producto haya desaparecido. Es posible que necesites darte otra capa.

Si te parece que deberías estar más seco quizá debas aplicarte un antitranspirante dos veces al día, por la mañana y por la noche. Si lo haces antes de acostarte, tu piel podrá absorber los ingredientes mientras estés menos activo. (Dúchate antes para que el antitranspirante deje de hacer efecto a la mañana siguiente.) Estos productos son más eficaces si se aplican en la piel seca, así que espera un poco si acabas de bañarte o de hacer ejercicio. También puedes darte en las axilas polvos de talco, bicarbonato o harina de maíz.

Ahora que sabes tanto de desodorantes y antitranspirantes, el olor corporal no debería ser para ti un problema. Pero es posible que sí lo sea para alguien que conozcas. Puede que tengas un amigo que huela y no sepas cómo plantearle la cuestión.

No es fácil decirle a un amigo o un compañero de clase que huele mal, pero si lo haces con amabilidad es muy probable que te lo agradezca. Asegúrate de que estáis solos para que no lo oiga nadie más. Evita los comentarios bruscos de este tipo: «¡Cómo apestas! ¿Por qué no haces algo para arreglarlo?». Es mejor que le digas algo así: «Me he dado cuenta de que tu desodorante no es muy eficaz. Yo he encontrado una marca que funciona muy bien. Quizá quieras probarla». Luego puedes añadir que todo el mundo huele a veces, y que no pasa nada por eso. Si te resulta incómodo hablar cara a cara con esa persona puedes enviarle una carta amistosa pero anónima.

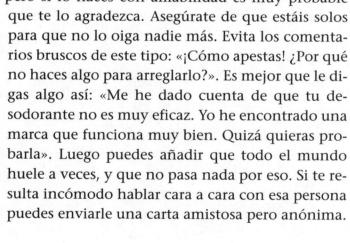

¿LLEVAS LA ROPA LIMPIA?

¿Has ido alguna vez a clase recién duchado y te has dado cuenta al cabo de un rato de que te olía la camisa? Puede que tu cuerpo esté limpio, pero la ropa es otra historia.

Las axilas de tus camisas favoritas –las que más te pones– pueden tener restos de sudor y desodorante. A veces también notarás un cerco amarillo en las axilas de las camisas más claras. Los detergentes no siempre quitan esas manchas y olores. Haz la «prueba del olor» a tus camisas para ver si están realmente limpias.

Rebuscar en el cesto de la ropa sucia a la hora de vestirte no es una buena idea. Si has echado algo allí es porque no estaba muy limpio. Es preferible que elijas otra cosa. Cuando te sientas tentado a ponerte tu camisa favorita una vez más, piensa cómo te sentirás con una prenda sucia y arrugada.

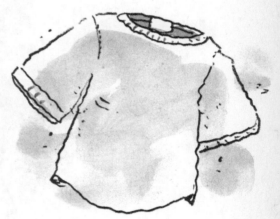

Recuerda que las glándulas apocrinas de tus axilas, pezones e ingles están ahora más activas. Procura que la ropa que toque esas zonas esté lo más limpia posible. Lava las camisas y la ropa interior con regularidad; ponte siempre una muda limpia por la mañana: te sentirás mucho mejor.

Ahora ya sabes cómo protegerte del olor corporal. Con las herramientas adecuadas puedes estar más limpio y seco incluso los días más calurosos. Alégrate de sudar. Así es como tu cuerpo consigue mantenerse fresco.

Datos

En la Edad Media la gente lavaba la ropa con un jabón que hacían con cenizas de madera y trozos de grasa de carne. Y para «blanquearla» añadían orina vieja.

Capítulo 6

Esas partes de ABAJO

Nuestra cultura tiene una actitud contradictoria respecto a las zonas genitales. Por un lado, no se habla abiertamente de ese tema (se considera algo íntimo). Y, por otro lado, los anuncios de la televisión y las revistas nos dicen que tenemos que desodorizar esas zonas, sobre todo si somos chicas. A tu edad las cosas están cambiando ahí abajo por dentro y por fuera. Con la información que se incluye en este capítulo sabrás qué puedes esperar.

¿QUÉ ESTÁ PASANDO AHÍ ABAJO?

Te encuentras en una edad en la que estás experimentando muchos cambios corporales. Recuerda que vas a convertirte en un adulto, y que ese proceso lleva mucho tiempo. Cada uno llega hasta ahí a un ritmo diferente. Si tus amigos cambian físicamente antes que tú no te preocupes. También tú crecerás. Tu desarrollo será muy similar al de tus padres, así que pregúntales por sus experiencias.

También es posible que tengas el problema opuesto y que te parezca que vas demasiado rápido. Puede que notes cambios que otros no han experimentado aún. Esto también es normal. Los demás te alcanzarán enseguida y no te sentirás tan solo.

Algunos de estos cambios ni siquiera son evidentes para la gente que te rodea, porque tienen lugar en tu interior. Por ejemplo, nadie se dará cuenta de que tus ovarios están creciendo, o de que produces esperma. Lo más probable es que aprendas estas cosas en la escuela, hablando con tus padres u otros adultos o leyendo sobre la pubertad. Busca libros sobre el tema en cualquier biblioteca o consulta páginas web que traten de la pubertad y otros cambios corporales.

El desarrollo de las chicas incluye los siguientes cambios:

★ se ensanchan las caderas

★ aparece un vello púbico fino y liso

★ crece la vagina

★ el vello púbico es cada vez más grueso y oscuro

★ los ovarios aumentan de tamaño

★ comienza la menstruación (la regla)

Los chicos se desarrollan más tarde que las chicas. Éstos son algunos de los cambios que experimentan al llegar a la pubertad:

★ crecen los testículos y el escroto

★ el escroto se pone más rojo y cambia su textura

★ aparece un vello púbico fino, que cada vez es más grueso y oscuro

★ el pene crece a lo largo y a lo ancho, y su piel se oscurece

★ comienzan las eyaculaciones, la liberación de semen del pene

Ninguno de estos cambios ocurre de un día para otro, así que tendrás tiempo de acostumbrarte a ellos. Algunas veces serán desagradables, y otras de lo más emocionantes. Aunque pueda resultar incómodo, te ayudará hablar de estos cambios con tus padres o con un amigo.

«Partes» masculinas

Los chicos y las chicas no están «equipados» del mismo modo y, por lo tanto, tiene sentido hablar de sus genitales por separado. Esta sección es para los chicos, pero también las chicas pueden leerla. En las páginas 95-97 encontrarás información sobre las partes íntimas de las chicas (que también pueden leer los chicos).

Cualquier explicación sobre los órganos sexuales masculinos debe comenzar con el pene. Después de todo, es una parte del cuerpo muy importante. El tamaño del pene puede variar mucho de una persona a otra. Si te preocupa el tamaño de tu pene, no eres el único. Esto crea una gran ansiedad a muchos chicos, pero normalmente no influye en su funcionamiento.

El pene está diseñado para responder a la estimulación, por ejemplo cuando te lo tocas o piensas en el sexo. Entonces la sangre se concentra en esa zona, y el pene se hincha y se endurece (esto es lo que se llama una erección). La activación de las hormonas durante la pubertad implica que puedes tener muchas erecciones aunque no quieras, incluso en la escuela. Las erecciones son totalmente normales, pero pueden resultar embarazosas. Para disimularlas puedes llevar camisas largas o ponerte una carpeta a modo de escudo.

A algunos chicos les hacen la circuncisión al nacer, es decir, les cortan la piel que cubre la cabeza del pene, llamada *prepucio*. Los padres optan por esta práctica por motivos religiosos o culturales. Los penes circuncidados tienen un aspecto diferente cuando están blandos. En un pene circuncidado se puede ver la cabeza o *glande*, que en uno no circuncidado está cubierto por el prepucio.

Estés circuncidado o no es importante que mantengas el pene limpio. Lávate la zona genital todos los días en la ducha o en el baño. Si quieres puedes usar un jabón desodorante o antibacteriano (para más información sobre jabones, véanse pp. 34-35). Si no estás circuncidado tendrás que echar hacia atrás el prepucio para lavar la zona del glande. Hazlo con cuidado para no forzarlo.

Muchos chicos notan bultitos en el pene y se preguntan si son normales. Lo más probable es que sean simplemente granos o espinillas. También pueden ser *pápulas peneales*, unas erupciones inofensivas de color carne que aparecen en la cabeza del pene. Alrededor de un 15 por ciento de los chicos tienen este tipo de erupciones durante la pubertad. Las verrugas, las ampollas o las zonas doloridas en los genitales indican que el problema es más grave y se debería consultar a un médico.

Además, muchos hombres son propensos a tener una irritación genital provocada por un hongo, que produce una intensa sensación de picor y les impulsa a rascarse sus partes íntimas. Si haces deporte y usas vestuarios o duchas públicas tienes muchas posibilidades de sufrir este tipo de irritación.

Si crees que puedes tener una irritación genital, comprueba si tienes manchas

«Cuando estaba en séptimo parecía que tenía erecciones todo el tiempo. Andaba siempre por ahí con los libros delante del cuerpo.»
–Anónimo, 14

«Me da vergüenza tener el pene tan pequeño.»
–Andy, 9

rojas alrededor del escroto, el ano y la parte interior de los muslos. Para tratar este problema mantén la zona limpia y seca y lávate sólo con jabones suaves. (Los fuertes pueden agravar la irritación.) También puedes aplicarte pomadas o polvos especiales. A veces también ayuda llevar ropa más holgada. Lava la ropa de deporte a menudo para librarte de los hongos y cámbiate la ropa interior con frecuencia, incluido el braguero.

Si te estás preguntando qué es un braguero, es un soporte elástico para acercar los testículos al cuerpo. Como tus órganos sexuales se encuentran en la parte exterior de tu cuerpo se pueden lesionar con facilidad, sobre todo si juegas al fútbol o al rugby. Cuando practiques deportes de contacto físico, puedes ponerte además un protector genital para estar más protegido. Los bragueros se venden por la medida de la cintura, no del pene, así que no te sientas avergonzado al pedir una talla pequeña.

En las películas y las series de televisión puede parecer divertido que a un tipo le den una patada en los «huevos» (testículos). Pero si te ha pasado alguna vez seguro que no te has reído. Hace tanto daño que puede dolerte hasta el estómago. Por eso es una buena idea ponerse un protector genital para hacer deporte.

«Partes» femeninas

Si eres una chica, los cambios que se están produciendo ahí abajo te pueden parecer un gran misterio, porque la mayoría son internos. El cambio externo más evidente suele ser la aparición del vello púbico (para más información véanse pp. 99-100).

Sin embargo, a las chicas les ocurre algo que marca de forma definitiva el comienzo de la pubertad, que es, por supuesto, la menstruación. Cuando tengas el periodo puedes tener un bebé, lo cual no significa que estés preparada para ello. No tienes aún la madurez suficiente para una responsabilidad tan grande.

Si todavía no te ha llegado el periodo ten paciencia; ocurrirá en cualquier momento. Tengas el periodo o no, es muy probable que te preguntes cómo es y qué deberías hacer al respecto. Habla con tu madre, tu hermana mayor, tu tía u otra mujer que haya pasado por eso y pueda darte una buena información.

Antes de que una chica tenga el periodo puede notar en la vagina una pequeña cantidad de flujo, que suele ser transparente o blanquecino. Con el flujo vaginal el cuerpo elimina las bacterias, la mucosidad y las células muertas.

A veces el flujo puede indicar que hay una infección. Si notas otros síntomas, como la piel irritada, picores o mal olor, puedes tener una infección. Ve al médico para comprobarlo. En algunos casos el picor se debe simplemente a una reacción a los jabones, los perfumes o los detergentes. Utiliza un jabón más suave y no uses desodorantes ahí abajo. Quizá tengas que pedir también a tus padres que compren un detergente no perfumado para lavar la ropa.

Para prevenir las infecciones vaginales lávate los genitales todos los días. Usa bragas de algodón, que permiten que la piel «respire». Evita los productos que contengan talco y la ropa muy ajustada, y procura cambiarte la ropa interior sudada y los bañadores mojados lo antes posible. Los expertos creen que las infecciones se pueden transmitir al usar un traje de baño o una toalla de otra persona, así que no compartas esas prendas con nadie.

En los años sesenta, una de las travesuras más populares en los campus universitarios era que los chicos fueran a los dormitorios de las chicas para robarles las bragas.

Las mujeres han usado tampones durante miles de años, pero los primeros tampones comerciales aparecieron en Estados Unidos a finales de los años veinte o comienzos de los treinta.

«La regla es una cosa normal por la que pasan todas las chicas. No debe asustarte.»
–Morgan, 12

A pesar de lo que digan los anuncios de las revistas y la televisión, no es necesario que uses polvos o *sprays* especiales para mantener la zona genital limpia, aunque tengas el periodo. La vagina se limpia sola. Lo único que tienes que hacer es lavarte la parte exterior todos los días. No hagas caso de los anuncios que dicen que hay que usar un «segundo» desodorante (además del de las axilas). De hecho, esos productos pueden causar reacciones alérgicas e incluso infecciones porque llevan una gran cantidad de perfume. A muchas chicas les preocupa si huelen bien. La verdad es que todas las mujeres tienen un olor vaginal propio, que es perfectamente natural.

Sin embargo, cuando tengas el periodo puede que no te sientas tan limpia. Cuando la sangre de la menstruación entra en contacto con el aire empiezan a acumularse las bacterias, que pueden producir olores. Esos días puede que te apetezca lavarte más a menudo, pero no es absolutamente necesario. Si te cambias las compresas o los tampones con regularidad (cada tres o cuatro horas), el olor no debería ser un problema grave.

Hablando de tampones y compresas, quizá te preguntes cómo funcionan y qué es mejor para ti. La mayoría de las chicas empiezan con compresas porque son más fáciles de usar. Sólo hay que quitar la tira adhesiva y pegar la compresa a las braguitas.

Los tampones se insertan en el interior de la vagina, y hasta que les cojas el truco te resultarán más complicados. Puedes practicar con tampones pequeños incluso antes de tener el periodo. Sigue las instrucciones que vienen con los tampones. Aunque hace falta un poco de práctica, al final te sentirás cómoda con ellos. Si quieres puedes utilizar tampones «desodorantes», pero no son necesarios. Los perfumes que contienen podrían provocarte una reacción alérgica. Si te lavas bien debería ser suficiente.

Cuando empieces a menstruar es posible que te preocupe que lo sepa todo el mundo. Pero sólo lo sabrán si se lo dices tú.

Si quieres hablar del periodo hazlo tranquilamente. Es algo que les ocurre a todas las chicas en algún momento. También puedes hablar de las dudas que tengas con un adulto de confianza. Consulta libros sobre la menstruación o busca páginas web que traten de este tema. De ese modo obtendrás respuestas a todas tus preguntas.

CONSEJOS PARA ESTAR PREPARADA PARA EL PERIODO

★ Guarda en la taquilla ropa interior de repuesto y tampones o compresas.

★ Si esperas que te venga el periodo y te preocupa manchar la ropa lleva prendas oscuras.

★ Si quieres ponte salvaslips para proteger la ropa interior.

★ Lleva contigo tampones o compresas. Algunas vienen dobladas en paquetitos que se pueden esconder con facilidad en la mochila o en la carpeta.

★ Pregunta a tus padres qué calmantes puedes tomar para el síndrome premenstrual. Los calmantes pueden ayudarte a aliviar los calambres, el cansancio o los dolores de cabeza.

★ Ten en cuenta que la cafeína y la sal pueden agravar el síndrome premenstrual. Durante esos días procura evitar los refrescos y las bolitas de queso.

Datos

En los Alpes se encontraron los restos de un hombre que vivió hace más de 5.000 años con un taparrabos de cuero: probablemente los primeros calzoncillos de la historia.

A las bragas se las ha denominado innombrables, calzones, pololos y bombachos.

OTRAS CUESTIONES ÍNTIMAS

¿Por qué tiene la gente vello púbico? ¿Por qué lleva ropa interior? Buenas preguntas.

Sin embargo, las respuestas no son sencillas.

Si vuelves al capítulo 5, «Olor corporal: Cuestiones básicas», recordarás que hay dos tipos de glándulas sudoríparas, las ecrinas y las apocrinas. Las glándulas apocrinas, que se encuentran en las axilas, alrededor de los pezones y en las ingles, son las que producen malos olores (cuando el sudor se mezcla con las bacterias). En la zona de las ingles, las glándulas apocrinas están situadas en el ano y alrededor de los genitales.

Cuando tienes calor y sudas también se moja tu ropa interior, porque las glándulas apocrinas están realizando su trabajo. La ropa interior ayuda a absorber el sudor y los olores y protege la piel de esa zona. Ésa puede ser la principal razón para llevar ropa interior: que resulta práctica.

Pero históricamente la ropa interior se ha usado por otras razones, ante todo por pudor. A lo largo del tiempo la gente se ha avergonzado de su cuerpo, sobre todo de la zona genital. En el siglo XIX, los hombres llevaban unos calzoncillos de cuerpo entero que les cubrían desde los tobillos hasta el cuello. En esa misma época, las mujeres usaban unos corsés de hueso de ballena para estrechar la cintura además de combinaciones y pololos. Hoy en día, por suerte para nosotros, la ropa interior es mucho más simple.

Cuando elijas tu ropa interior asegúrate de que sea de algodón para que la piel respire, y cámbiatela todos los días. Después de la ducha o el baño ponte una muda limpia para estar más fresco y evitar olores. Si tienes que cambiarte más de una vez al día no te preocupes. Los cambios hormonales y el aumento del sudor en la pubertad hacen que la ropa interior no esté siempre en perfectas condiciones. Quizá tengas que lavar más ropa, pero no tiene demasiada importancia.

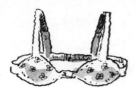

Nadie sabe realmente por qué tenemos vello púbico. Unos dicen que en un principio su propósito era mantener calientes los genitales, otros afirman que las chicas tienen vello púbico para proteger la vagina de la suciedad (de igual modo que los pelos de la nariz protegen las fosas nasales). Pero entonces, ¿por qué tienen vello púbico los chicos?

Algunos creen que para el cuerpo es una manera de decir: «¡Mírame! ¡Ya estoy sexualmente maduro!». Y según otra teoría en el vello púbico se concentran los olores sexuales de la gente, que pueden atraer a algún miembro del sexo opuesto.

Sea cual sea la razón, las chicas empiezan a tener vello púbico hacia los nueve años, y los chicos a los diez. En ambos casos los primeros pelos púbicos son lisos y finos y, con el tiempo, se rizan y adquieren una textura más gruesa. El vello púbico varía de una persona a otra. Unos acaban teniendo un pelo fuerte y oscuro; otros lo tienen pelirrojo o rubio. Algunos tienen mucho vello púbico, y otros muy poco.

Las chicas suelen tener más problemas que los chicos con este vello, porque en muchas culturas se espera que las mujeres sólo tengan pelo en la cabeza. Como el pelo crece en otras partes de su cuerpo, la mayoría está continuamente buscando métodos para librarse del vello que tienen debajo de los brazos, en el labio superior y en las piernas. La zona del pubis no es una excepción. Muchas chicas odian que su vello púbico sobresalga por los bordes del bañador. A esto se le llama la *línea del biquini*, y en verano suele exigir una atención constante.

Hay varias formas de mantener la línea del biquini sin pelo, pero todas ellas son temporales y *opcionales*. Puedes recortarte el pelo con unas tijeras para que quede más pulcro. O puedes afeitártelo para evitar que crezca en unos cuantos días. Ten en cuenta que con este método puede haber irritaciones y bultitos rojos, que suelen indicar que el pelo ha crecido hacia dentro.

Otra de las opciones es depilarse con cera, para lo cual tienes que aplicarte una tira de cera caliente con la que se quita el pelo de un tirón. También puedes usar cremas depilatorias, que contienen sustancias químicas para eliminar el pelo. Prueba antes estos productos en una zona pequeña para asegurarte de que no te irritan demasiado la piel.

Necesidades personales

Aunque te parezca raro, vamos a hablar de lo que ocurre en el cuarto de baño. ¿Por qué? Porque es muy probable que tengas dudas que no te atreves a preguntar a nadie.

La función de tus riñones es filtrar los residuos de la sangre y producir orina (pis). La orina está compuesta por estos residuos, además de agua y sales. La gente elimina entre cuatro y ocho vasos de orina al día. La próxima vez que vayas al baño comprueba de qué color es tu orina. Debería ser transparente o amarilla. Si no bebes suficiente agua puede que tenga un tono dorado oscuro. Recuerda que debes beber al menos ocho vasos de agua todos los días.

> «Una noche mojé la cama, y no me atrevía a decírselo a mi madre. Pensaba que me iba a morir de vergüenza.»
>
> –Yo, 10

CUALQUIERA PUEDE MOJAR LA CAMA

Uno de cada 100 adolescentes moja la cama. ¡Es cierto! Y a los chicos les ocurre dos veces más que a las chicas. ¿Cuál es la causa? Los expertos creen que le sucede a la gente que duerme tan profundamente que no se levanta para hacer pis. En algunos casos se debe simplemente a que han crecido más que su vejiga. Si tienes este problema ten paciencia. Con el tiempo lo superarás. Mientras tanto evita beber muchos líquidos después de cenar, sobre todo si contienen cafeína. Y recuerda que no es culpa tuya.

Datos

En algunas zonas del mundo hay gente que bebe orina porque cree que es buena para la salud.

En la Edad Media la gente hacía sus necesidades en orinales, que eran como un cubo. Como no había desagües, luego tiraban el contenido a la calle por la ventana.

Cuando la gente viaja a otros países, suele tener diarrea porque ingiere gérmenes a los que no está acostumbrada. A la diarrea del viajero se le suele llamar «la venganza de Moctezuma».

Ahora vamos a hablar de lo que sale por el otro extremo. Es probable que hayas oído el término «evacuar», que significa defecar o hacer cacas. Las heces se forman con los restos de la comida tras la digestión, además de bacterias, células muertas, sales y agua. Para que tus heces sean blandas come alimentos con mucha fibra (por ejemplo frutas y verduras). ¿Cada cuánto deberías defecar? Eso varía de una persona a otra. Algunos defecan varias veces al día, mientras que otros sólo lo hacen unas cuantas veces por semana.

En algunos anuncios de televisión se habla de «irregularidad» para referirse al estreñimiento. Eso es lo que ocurre cuando las heces están duras y secas y resulta difícil hacer caca. Si crees que estás estreñido toma fibra y bebe mucha agua; el ejercicio también ayuda.

Hay quien toma laxantes para ir al baño, pero estos productos no son siempre seguros para la gente de tu edad. Como no sabes cuándo va a hacer efecto el laxante (te puede pillar en medio de un examen o de un partido de baloncesto), es mejor que utilices un remedio más natural.

Datos

A finales del siglo XIX se comenzó a fabricar papel higiénico en Estados Unidos. Al principio, mucha gente se resistía a comprarlo porque les resultaba más barato usar periódicos viejos, mazorcas y catálogos.

A lo largo de la historia, la gente ha usado diversas cosas para limpiarse, entre ellas ramas, hierba, hojas, plumas, conchas de ostras, corteza de árboles, periódicos y esponjas.

En la Edad Media, en Europa se recogía la orina en contenedores, y luego se vendía el amoniaco que contenía para hacer artículos de cuero.

El problema opuesto es la diarrea, que es lo que te ocurre cuando tienes las heces líquidas y necesitas ir al baño con frecuencia. Las enfermedades y el estrés pueden provocar diarrea. Normalmente desaparece en un par de días, pero mientras tanto debes tomar zumos diluidos, bebidas reconstituyentes y caldo para reponer el agua y las sales que pierdas. Habla con tus padres para que te ayuden a averiguar la causa de la diarrea.

Después de orinar o defecar procura limpiarte bien. La orina y las heces contienen residuos que están llenos de bacterias. No te interesa tener esos residuos en la piel más de lo necesario. Además, de ese modo se elimina también el olor.

Límpiate de adelante atrás, sobre todo si eres una chica, para evitar que queden bacterias en la zona genital y prevenir infecciones. Con el papel higiénico suele ser suficiente. También puedes usar toallitas húmedas para limpiarte después de usar el baño.

Si notas picores en la zona anal es posible que te limpies demasiado. Hazlo con suavidad, no como si estuvieras fregando una cazuela. Por otro lado, si tienes molestias en el trasero puede que no te limpies bien. Cada vez que lo hagas asegúrate de que usas el papel higiénico necesario.

¿Has encontrado alguna vez manchas o gotitas de pis en el asiento del váter después de que lo haya usado alguien? Si te parece una falta de educación procura evitarlo. He aquí unas cuantas cosas que debes tener en cuenta al usar cualquier váter:

1. Si levantas el asiento, bájalo cuando acabes por respeto a quien vaya a usar el baño después.

2. Cierra la tapa del váter antes de tirar de la cadena de la cisterna. (Con el agua vuelan por el aire millones de partículas de orina y heces. Si hay un cepillo de dientes cerca imagina dónde pueden acabar algunas de esas partículas.)

3. Si ensucias sin querer el asiento del váter límpialo. (Los demás te lo agradecerán.)

4. Si terminas el papel higiénico cambia el rollo. (Cuando uno está sentado en el «trono» resulta frustrante que no haya nada para limpiarse.)

A algunas personas no les gustan los servicios públicos y pueden «aguantar» todo el día, pero esto no es bueno para la salud. Si te preocupa tener que hacer caca en un sitio público lleva un ambientador pequeño en la mochila para eliminar el olor. Si te parece que un váter público está sucio puedes forrar el asiento con papel higiénico antes de sentarte. La posibilidad de que «pilles» algo de este modo es mínima. Aunque pilles algunos gérmenes te librarás de ellos en cuanto te duches.

Afortunadamente, la mayoría de los servicios públicos de las escuelas, las bibliotecas y los centros comerciales están relativamente limpios. En algunos países la gente hace sus necesidades en cuclillas en una plataforma situada sobre un pozo. Por otra parte, en Japón algunos servicios públicos son auténticos prodigios tecnológicos; además de estar impecables tienen un botón que hace que suene un ruido de agua corriente para tapar los ruidos que puedan hacer los usuarios.

Ahora que sabes algo más sobre lo que ocurre «ahí abajo» reconocerás que no es un gran misterio. La próxima vez que te sientas avergonzado por algo que te pase en esa zona recuerda que, en alguna parte, a alguna otra persona le está sucediendo lo mismo. Aunque no te apetezca hablar de esas cuestiones íntimas, al menos sabrás que no estás solo.

Datos

La mayoría de los americanos usan alrededor de 9 hojas de papel higiénico cada vez que van al baño, lo cual supone un total de unas 57 hojas al día.

Los hombres tardan una media de 45 segundos en usar el baño, y las mujeres unos 79 segundos. Por eso suele haber una larga cola en los servicios de las chicas en los sitios públicos.

«Un día que fui a cazar con mi padre tuve que hacer mis necesidades en el bosque. Como no tenía papel higiénico me limpié con unas hojas que resultaron ser hiedra venenosa.»

–Anónimo, 12

Capítulo 7

PIES sanos

Quítate los zapatos y los calcetines para ver qué hay debajo. ¿Cómo tienes los pies? ¿Los cuidas bien? ¿Están limpios? ¿O tienes las uñas sucias, la piel agrietada y un olor insoportable? Si tus pies encajan en esta descripción deberías hacer algo. Con un poco de esfuerzo puedes tener los pies en buenas condiciones.

DATOS SOBRE LOS PIES

Al llegar a la pubertad las manos y los pies empiezan a crecer antes que otras partes del cuerpo. De hecho, son las primeras extremidades que alcanzan un tamaño adulto. Si miras hacia abajo quizá te parezca que tus pies son muy grandes comparados con el resto de tu cuerpo; o puede que los tengas más pequeños que los demás y te preguntes si es normal.

Si no te gustan tus pies puede que intentes ocultarlos todo lo posible. Pero debes recordar que los pies de cada uno tienen una forma y un aspecto únicos. Unos tienen los pies muy arqueados, y otros los tienen planos. Los dedos de algunos apuntan hacia dentro, y los de otros hacia fuera. Algunos pies son peludos, y otros no.

Es probable que nunca hayas considerado tus pies de esta manera, pero Leonardo da Vinci –un genio del siglo XV– dijo una vez que el pie humano era «una obra maestra de ingeniería y una obra de arte». Sin los pies no podrías correr, bailar, dar patadas a un balón, subir escaleras o andar en tu monopatín. Cuando te sientas tentado a criticar tus pies por su forma o su tamaño piensa en todo lo que hacen por ti.

¿Por qué huelen tan mal los pies?

También es posible que ocultes tus pies por otro motivo: porque apestan. La queja más habitual sobre nuestros pies es su olor. Pero para eso hay una buena razón.

Datos

En cada pie hay 26 huesos.

La longitud de tu antebrazo, del codo a la muñeca, es más o menos la longitud de uno de tus pies.

La gente suele tener un pie dominante, que es el que más utiliza. Normalmente el pie dominante se encuentra en el mismo lado que la mano dominante. Si alguien te lanza un balón, ¿qué pie usas de manera automática para pararlo y devolverlo? Ése es tu pie dominante.

«Un día mi prima se quitó los zapatos, que olían fatal. Alguien le dijo: "Vuelve a ponerte los zapatos, que vas a asustar a los perros". Ella se rió y se los volvió a poner.»

–Amanda, 12

«Mis pies apestan. Cada vez que me quito los zapatos me mareo.»

–Josh, 10

De los más de 2 millones de glándulas sudoríparas que tiene tu cuerpo, la mayoría se encuentran en las palmas de las manos y las plantas de los pies. El sudor que producen estas glándulas no huele, pero las bacterias que se alimentan de él sí. Ahí es donde comienza el olor. Tus pies eliminan más o menos medio vaso de sudor todos los días. Cuanto más sudes más bacterias se acumularán en ellos.

Piensa en lo que llevas en los pies. Lo más probable es que uses deportivos u otros zapatos gruesos además de calcetines. Como el sudor de tus pies no se puede evaporar con los zapatos y los calcetines, a lo largo del día se forma en ellos una mezcla maloliente de sudor y bacterias.

A las bacterias les encanta el entorno cálido y húmedo de tus zapatos. Para evitar que te huelan los pies intenta mantenerlos secos.

He aquí un plan para que tengas los pies más secos y limpios:

★ Lávatelos todos los días con un jabón desodorante o antibacteriano.

★ Frótate los pies con una esponja para eliminar las escamas de piel muerta. No olvides lavarte entre los dedos.

★ Sécate bien los pies después de lavarlos. Si quieres puedes usar un secador de pelo.

★ Si es necesario utiliza un producto especial para eliminar el sudor y el olor de los pies. Puedes usar lociones, cremas, geles, polvos o *sprays*.

★ No lleves siempre los mismos zapatos. Cada pocos días ponte unos zapatos diferentes y deja que los otros se aireen. Ponlos en la ventana o delante de un ventilador para que se refresquen en vez de tirarlos en el armario o debajo de la cama.

★ Si es posible lava los deportivos de vez en cuando en la lavadora y deja que se sequen al aire. No los metas en la secadora, porque podrían encoger.

★ Lleva sandalias, chancletas o zuecos para que tus pies puedan «respirar».

Si te huelen mucho los pies puedes:

★ Aplicarte un antitranspirante en los pies limpios todas las mañanas y antes de acostarte. Asegúrate de que contenga *clorhidrato de aluminio* para mantener los pies más secos.

★ Espolvorear una mezcla de bicarbonato y harina de maíz en los calcetines para que absorba el sudor.

★ Si tienes un problema grave de olor y sudor puedes poner los pies en remojo en una solución de té negro y agua fría. Prepara un té con dos bolsitas en dos tazas de agua hirviendo durante 15 minutos. Mézclalo con 2 litros de agua fría y pon los pies en remojo de 20 a 30 minutos.

★ Cámbiate los calcetines varias veces al día si es necesario. Utiliza siempre calcetines de algodón, porque el algodón «respira» mejor que otros tejidos.

★ Si te siguen oliendo mucho los pies pide a tu médico que te recete un antitranspirante más eficaz.

Datos

En Vermont se celebra todos los años el Concurso Internacional de Deportivos Apestosos. Gente de todo el mundo lleva sus deportivos malolientes y compite por los premios.

«Me huelen mucho los pies, y sudan tanto que mis zapatos parecen un horno. Tengo que usar polvos para los pies porque dejan en los zapatos un olor insoportable.»
–Caitlin, 10

Hongos y otros problemas de pies

Si haces deporte o te gusta el ejercicio físico puede que tengas pie de atleta alguna vez. Esta infección fúngica puede aparecer en la piel de los pies o debajo de las uñas. El término «pie de atleta» lo creó una compañía publicitaria para vender un medicamento antifúngico. La gente suele coger este hongo en lugares cálidos y húmedos, como las duchas de los vestuarios o los gimnasios.

Los síntomas del pie de atleta incluyen picores entre los dedos, un sarpullido y la piel agrietada o en carne viva. (Puede que te apetezca quitarte los zapatos y rascarte como un loco.) El pie de atleta se puede tratar fácilmente con polvos o *sprays*. También resulta útil mantener los pies secos.

Para prevenir este problema evita andar descalzo en piscinas o duchas públicas. Lleva chancletas para que los pies no toquen el suelo húmedo.

Los hongos también pueden desarrollarse debajo de las uñas. Aunque no son nada agradables se pueden tratar. Si tienes hongos es posible que tengas las uñas duras y amarillas, y que estén separadas del lecho. Habla con tu médico para que te ponga un tratamiento. Como las uñas de los pies crecen muy despacio (una uña puede tardar un año en crecer del todo), el tratamiento suele ser largo.

¿Has tenido alguna vez una uña encarnada? Eso es lo que ocurre cuando el borde de la uña crece hacia dentro. A veces las uñas encarnadas están provocadas por un hongo o por llevar zapatos muy estrechos. Sea cual sea la causa, las uñas encarnadas son dolorosas. Para aliviar el dolor puedes poner el dedo en remojo en agua caliente. Mantén la zona limpia para evitar que se infecte.

Para prevenir que las uñas de los pies se

encarnen y se infecten córtatelas cada cierto tiempo. No hurgues en ellas ni te las arranques y, por supuesto, no te las muerdas. (Piensa en los gérmenes.)

Si te cortas las uñas con regularidad podrás tenerlas limpias y bien cuidadas. Para cortártelas correctamente haz un corte recto con un cortauñas. No te las cortes demasiado para no hacerte daño. Perfílate las cutículas del mismo modo que las de las uñas de las manos (para más información véanse pp. 75-78). También puedes limártelas para pulir los bordes rugosos.

En los pies también puede haber ampollas, callos y durezas. Estos problemas no tienen mucha importancia, pero pueden ser muy molestos.

Las ampollas suelen aparecer cuando la piel roza contra el zapato. Para evitar las ampollas cómprate zapatos que te queden bien (para más información véanse pp. 110-112). Si tienes una ampolla, quizá tengas que llevar dos pares de calcetines hasta que se cure para que el pie vaya más protegido. Lava la ampolla, desinféctala y cúbrela con una tirita si es necesario.

Los callos y las durezas se forman cuando los zapatos rozan contra las zonas óseas de los pies. Los callos aparecen en las plantas de los pies, y las durezas en la parte superior de los dedos. Aunque la piel de la planta del pie es 10 veces más gruesa que la del resto del cuerpo, un callo puede ser de 30 a 40 veces más duro. Para tratar los callos y las durezas pon los pies en remojo en agua caliente, sécatelos bien y frota los callos con una piedra pómez (se venden en farmacias). Aplícate una loción hidratante en la piel endurecida todos los días.

También es posible que tengas un problema más corriente: la piel seca. Si la parte posterior de tus talones parece piel de cocodrilo, deberías hidratarte los pies. Para empezar ponlos en remojo en agua caliente para humedecer la piel. Después date un masaje con abundante crema hidratante. Si quieres hacer las cosas bien ponte una bolsa de plástico en cada pie para sellar aún más la humedad. Por último, ponte unos calcetines y pasa así la noche. Por la mañana tus pies te lo agradecerán.

ZAPATOS

A tu edad puede que te interesen los tacones altos, sobre todo si eres una chica. ¿Has visto alguna vez a alguien con unos zapatos de tacón altísimos andando de puntillas? Acabará teniendo problemas en los pies. Llevar zapatos de moda pero incómodos puede ser un error.

Los tacones altos desplazan el centro de gravedad hacia delante, y te obligan a echar los hombros hacia atrás para no caerte de bruces. Como consecuencia la espalda se arquea, lo cual puede provocar dolores. Los expertos han comprobado también que los zapatos de tacón alto hacen que se acorte el tendón de la parte posterior de la pierna. Para evitar estos problemas lleva zapatos planos o con tacones de menos de cinco centímetros.

Los zapatos puntiagudos también pueden crear problemas. Mírate los pies: tus dedos no acaban en punta. Si fuera así el

Datos

Es muy probable que los tacones altos se inventaran para que las mujeres no se ensuciasen los pies con el polvo y el barro de las calles. En el siglo XVI, en Italia las mujeres llevaban unos zapatos de plataforma llamados chapines. En Francia e Inglaterra algunas mujeres copiaron ese estilo, pero con tacones más altos, de unos 45 centímetros.

★

Una persona normal camina unos 185.000 kilómetros a lo largo de su vida, que es como dar cuatro veces la vuelta al mundo por el ecuador.

dedo gordo estaría situado en medio de los demás. No lleves zapatos con demasiada punta, sobre todo si vas a andar mucho. Elige algo más cómodo para los pies.

¿Y esos zapatos con plataforma tan populares? Al menos dos jóvenes han muerto por llevar plataformas. ¿Te parece una locura? Los tacones altos y gruesos pueden ser peligrosos. Una profesora se murió al caerse de sus zapatos y sufrir una fractura de cráneo; y una mujer se estrelló con su coche porque sus zapatos de plataforma le impidieron pisar el freno. La posibilidad de que te ocurra algo así es muy rara, pero las plataformas tienen muchos inconvenientes. Como los tacones son más gruesos que los de otros zapatos la gente suele llevarlos durante mucho tiempo, y esto causa más problemas de espalda.

TODO POR LA MODA

Antiguamente, las mujeres chinas con los pies pequeños se consideraban más atractivas y femeninas. Para hacer que sus pies tuvieran un tamaño reducido, las familias ricas vendaban a las niñas los pies para que los cuatro dedos más cortos quedaran doblados hacia abajo. Después de llevar esas vendas durante años los pies de las niñas dejaban de crecer. Los pies de algunas mujeres adultas medían tan sólo diez centímetros. Estas mujeres llevaban unas «zapatillas de loto» de colores vivos, que parecían patucos, para que sus pies llamaran la atención. Las mujeres con los pies vendados sólo podían andar con la ayuda de alguien o con un bastón. Esta práctica se abolió en 1902.

Una de las mejores maneras de tratar bien los pies es comprar unos zapatos adecuados. Si llevas unos zapatos cómodos que te queden bien evitarás muchos problemas. Si los zapatos no te aprietan o te rozan demasiado, habrá menos posibilidades de que tengas ampollas, callos y durezas.

Como quizá sepas los zapatos no son baratos y, por lo tanto, es importante que inviertas bien tu dinero. Vete a zapaterías donde haya dependientes con experiencia que puedan medirte los pies y recomendarte los zapatos más apropiados.

«¿Por qué tengo los pies pequeños comparados con los de otra gente? Mis padres tienen los pies grandes, pero los míos son diminutos.»

–Reith, 9

He aquí algunos consejos para comprar los zapatos bien:

★ Cómpratelos por la tarde, cuando tengas los pies más grandes. (Los pies se hinchan a medida que pasa el día.)

★ Pruébate los zapatos con los calcetines que pienses llevar con ellos para que queden mejor ajustados.

★ No compres unos zapatos sin probártelos antes. A esta edad tus pies están creciendo y cambiando rápidamente. Además, cada marca puede tener un tamaño diferente.

★ Si tienes un pie más grande que el otro (le ocurre a mucha gente), asegúrate de que los zapatos tengan la medida de ese pie.

★ Los zapatos deben quedar ajustados en el empeine y en el talón. Entre los dedos y la punta del zapato debería haber un dedo de distancia.

★ No esperes que los zapatos se adapten a tus pies. Deberían quedarte bien cuando te los pruebes.

★ Aunque te estén creciendo los pies no te compres unos zapatos demasiado grandes, porque los pies te bailarían en ellos.

★ No compres zapatos de marcas populares porque estén de moda. Pueden estar mal hechos y ser caros e incómodos.

Los pies se pueden convertir en un nido de bacterias, hongos, callos y durezas. Y resulta difícil no darse cuenta de que es una de las partes del cuerpo que peor huele. Pero antes de que llegues a la conclusión de que tus pies son repugnantes recuerda que te ayudan a llegar a los lugares donde quieres ir. Si los tratas bien imagina lo lejos que te pueden llevar.

Recomendaciones finales para cuidar tu FÍSICO

A lo largo de este libro has aprendido a cuidarte de pies a cabeza. Puede que hayas descubierto más sobre los gérmenes, las bacterias, los hongos, el sudor y los malos olores de lo que te interesaba saber. Pero los cuidados superficiales no son suficientes. He aquí 10 cosas que puedes hacer para cuidarte lo mejor posible en todos los aspectos.

1. **SACA EL MÁXIMO PARTIDO A LO QUE TIENES.** Cada uno tiene un cuerpo diferente y madura a un ritmo diferente. No tiene sentido que te compares con tus amigos o compañeros de clase. Intenta aceptar que tu cuerpo es único y que estás bien como estás. Si cuidas bien lo que tienes podrás mantener tu cuerpo en buenas condiciones.

2. **COME BIEN.** ¿Te gusta la comida rápida o la comida basura? No pasa nada por comer esas cosas de vez en cuando, pero los malos hábitos alimentarios acaban pasando factura. La grasa de esas patatas fritas que se acumula molécula a molécula en las arterias puede provocar ataques cardiacos y otros problemas de salud. Procura comer más frutas y verduras y menos fritos y batidos. Te sentirás mejor, pensarás mejor y tendrás mejor aspecto si te alimentas bien.

3. **OLVÍDATE DE LAS DIETAS.** Es muy probable que ahora mismo algún amigo tuyo y algunos adultos de tu entorno estén haciendo dieta. Ten en cuenta que un cuerpo delgado no es siempre un cuerpo sano. Tu cuerpo está creciendo y cambiando, y necesita alimentos sanos, no una reducción drástica de calorías. Lo más importante es estar fuerte y en forma, y eso es imposible si no se come bien.

4. MUÉVETE. Si la gente no hace ejercicio puede acabar desfigurada. Muchos adolescentes parecen sacos de patatas, porque se pasan el día viendo la televisión, jugando con videojuegos o navegando por Internet. Si sabes más de los programas de la televisión que de las rutas que hay en tu barrio para pasear ya es hora de que te levantes del sofá. Pon tu cuerpo en forma haciendo ejercicio varios días a la semana y verás cómo te sientes orgulloso de tus músculos.

5. DUERME LO SUFICIENTE. Mientras tú duermes las hormonas que hacen que tu cuerpo crezca están despiertas y activas. En otras palabras, necesitas dormir para crecer. Mucha gente de tu edad que se acuesta tarde y tiene que levantarse pronto para ir a la escuela suele estar cansada e irritable y es incapaz de concentrarse. Intenta dormir de 8 a 10 horas todos los días. Si descansas el tiempo necesario, te sentirás más sano y con más energía.

6. NO FUMES. El tabaco apesta, crea adicción, es caro y puede acabar matándote. Algunos empiezan a fumar en el instituto para parecer más interesantes, pero las consecuencias del tabaco para la salud no son nada interesantes. No comiences con un hábito que cuesta mucho dejar.

7. EVITA LAS DROGAS Y EL ALCOHOL. Estas sustancias dañan el cuerpo y el cerebro y hacen que resulte más difícil estar sano y pensar con claridad. Ya tienes bastante con crecer y convertirte en un adulto. Si evitas este tipo de sustancias, afrontarás mejor los retos que eso implica.

8. DOMINA TU ESTRÉS. Es posible que ahora estés más estresado por los cambios que se están produciendo en tu vida. El estrés puede provocar dolores de estómago y de cabeza o diarrea. Para liberar el estrés puedes hacer ejercicio y respirar profundamente. Habla con alguien de cómo te sientes o de los problemas que tengas. También resulta útil buscar un lugar tranquilo para relajarse y meditar.

9. APRENDE A CONTROLAR TUS EMOCIONES. La pubertad es una época muy emocional, en la que puedes sentirte feliz en un momento y deprimido poco después o enfadarte por pequeñeces. Estos altibajos son normales. Mantén la calma, piensa bien las cosas y busca formas sanas de controlar tus sentimientos. Puedes llevar un diario o hablar con un amigo o un adulto de confianza. Y, sobre todo, recuerda que esos sentimientos son normales y se pueden resolver.

10. **APRENDE A CONOCERTE.** Estás empezando a descubrir quién eres y a conocer tus puntos fuertes y débiles. Cuando te mires a ti mismo no te centres sólo en los aspectos negativos ni te censures por cometer errores. Piensa en las cosas positivas. ¿Qué intereses y capacidades tienes? Decide cómo quieres que sea tu vida y da los pasos necesarios para alcanzar tus objetivos. Cuando sepas quién eres y qué quieres de la vida te sentirás mejor contigo mismo.

Bibliografía

Abner, Allison, y Villarosa, Linda, *Finding Our Way: The Teen Girls' Survival Guide*, HarperCollins Publishers, Nueva York, 1996.

American Girl Library, *The Care & Keeping of You: The Body Book for Girls*, Pleasant Company Publications, Madison, Wl, 1998.

Branzei, Sylvia, *Grossology*, Addison-Wesley Publishing Company, Reading, MA, 1996.

—, *Grossology Begins at Home*, Addison-Wesley Publishing Company, Reading, MA, 1997.

Elfman, Eric, *Almanac of the Gross, Disgusting and Totally Repulsive*, Random House, Nueva York, 1994.

Karen, Gravelle, en colaboración con Castro, Nick y Chava, *What's Going on Down There? Answers to Questions Boys Find Hard to Ask*, Walker & Co., Nueva York, 1998.

Kerr, Daisy, *Keeping Clean: A Very Peculiar History*, Franklin Watts, Nueva York, 1995.

Lawlor, Laurie, *Where Will This Shoe Take You? A Walk Through the History of Footwear*, Walker and Company, Nueva York, 1996.

Leokum, Arkady, *Tell Me Why #1*, Grosset & Dunlap, Nueva York, 1986.

Lutz, Ericka, *The Complete Idiot's Guide to Looking Great for Teens*, Alpha Books, Indianapolis, IN, 2001.

Madaras, Lynda, *The What's Happening to My Body? Book for Boys*, Newmarket Press, Nueva York, 2000.

—, *The What's Happening to My Body? Book for Girls*, Newmarket Press, Nueva York, 2000.

Masoff, Joy, *Oh Yuck! The Encyclopedia of Everything Nasty*, Workman Publishing, Nueva York, 2000.

McCoy, Kathy, y Wibbelsman, Charles, *The Teenage Body Book*, The Berkley Publishing Group, Nueva York, 1992.

Novick, Nelson, *Skin Care for Teens*, Franklin Watts, Nueva York, 1988.

Pedersen, Stephanie, *Keep It Simple Series Guide to Beauty*, DK Publishing, Inc., Londres, 2001.

Silverstein, Alvin y Virginia, *The Story of Your Foot*, G.P. Putnam's Sons, Nueva York, 1987.

—, y Silverstein Nunn, Laura, *Tooth Decay and Cavities*, Franklin Watts, Nueva York, 2000.

Stewart, Alex, *Everyday History: Keeping Clean*, Franklin Watts, Nueva York, 2000.

Walker, Richard, *El asombroso cuerpo humano*, Barcelona, Ediciones B, 2001.

Ward, Brian, *Dental Care*, Franklin Watts, Londres, 1986.

York-Goldman, Dianne, y Goldman, Mitchel, *Beauty Basics for Teens*, Three Rivers Press, Nueva York, 2001.

Acerca de la autora

Marguerite Crump imparte clases de salud y educación física en el distrito escolar R-III de New Bloomfield, Missouri. Crump es licenciada en periodismo por la MU y en educación física por la Wichita State University. Ha sido jugadora profesional de baloncesto, entrenadora, editora de una revista y coordinadora de bienestar. Vive en Columbia, Missouri, con su marido Joe. Tienen un perro salchicha muy agresivo llamado Sadie y una gata muy paciente llamada Molly.